人文武术精品书系

勿使前辈之遗珍失于我手
勿使国术之精神止于我身

陈微明

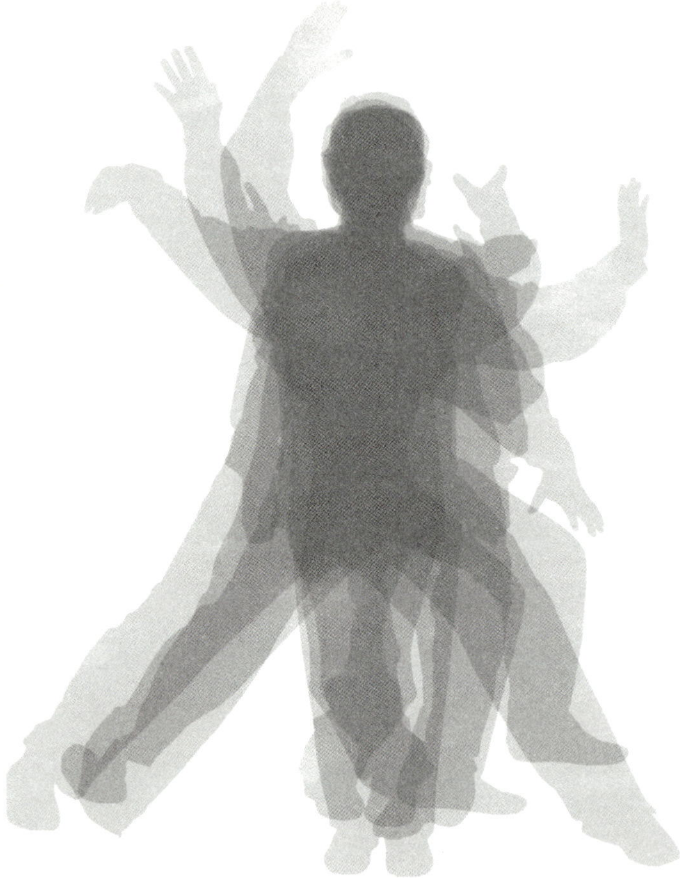

太极拳术

陈微明（1881-1958年）又名慎先，湖北蕲水人，武术名家。光绪二十八年（1902年）科举考中文举人。民国二年北洋政府设立清史馆，他曾任清史馆纂修之职，是《清史稿》作者之一。

他曾从孙禄堂先生学习形意拳和八卦掌，更心慕武当太极拳，遂不介而往拜候杨澄甫先生。澄甫先生欣然允诺，曰『愿得其人而传也』。陈微明学习太极拳时，正值澄甫先生精壮之年，所传功夫极为严谨，动作开展，腰马讲究。陈微明也本着严谨的学习精神，恪守规矩，每一招式都毫厘不差。

北京科学技术出版社

陈微明·著
二水居士·校注

陈微明武学辑注

武学名家典籍丛书

太極拳術

出版人语

武术作为中华民族文化的重要载体，集合了传统文化中哲学、天文、地理、兵法、中医、经络、心理等学科精髓，它对人与自然和谐共生关系的独到阐释，它的技击方法和养生理念，在中华浩如烟海的文化典籍中独放异彩。

随着学术界对中华武学的日益重视，北京科学技术出版社应国内外研究者对武学典籍的迫切需求，于 2015 年决策组建了“人文·武术图书事业部”，而该部成立伊始的主要任务之一，就是编纂出版“武学名家典籍”系列丛书。

入选本套丛书的作者，基本界定为民国以降的武术技击家、武术理论家及武术活动家，而之所以会有这个界定，是因为民国时期的武术，在中国武术的发展史上占据着重要的位置。在这个时期，中、西文化日渐交流与融合，传统武术从形式到内容，从理论到实践，都发生了巨大的变化，这种变化，深刻干预了近现代中国武术的走向。

这一时期，在各自领域“独成一家”的许多武术人，之所以被称为 “名人”，是因为他们的武学思想及实践，对当时及现世武术的影响深远，甚至成为近一百年来武学研究者辨识方向的坐标。这些人的“名”，名在有武术的真才实学，名在对后世武术传承永不磨灭的贡献。他们的各种武学著作堪称为“名著”，是中华传统武学文化极其珍贵的经典史料，具有很高的文物价值、史料价值和学术价值。

首批推出的“武学名家典籍”丛书第一辑，将以当世最有影响力的太极拳为主要内容，收入了著名杨式太极拳家杨澄甫先生的《太极拳使用法》《太极拳体用全书》；一代武学大家孙禄堂先生的《形意拳学》《八卦拳学》《太极拳学》《八卦剑学》《拳意述真》；武学教育家陈微明先生的《太极拳术》《太极剑》《太极答问》。民国时期的太极拳著作，在整个太极拳发展史上占有举足轻重的地位。当时的太极拳著作，正处在从传统的手抄本形式向现代著作出版形式完成过渡的时期；同时也是传统太极拳向现代太极拳过渡的关键时期。这一历史时期的太极拳著作，不仅忠实地记载了太极拳架的衍变和最终定型，而且还构建了较为完备的太极拳技术和理论体系，而孙禄堂先生的武学著作及体现的武学理念，特别是他首先提出的“拳与道合”思想，更是使中国武学产生了质的升华。

这些名著及其作者，在当时那个年代已具有广泛的影响力，而时隔近百年之后，它们对于现阶段的拳学研究依然具有指导作用，依然被太极拳研究者、爱好者奉为宗师，奉为经典。对其多方位、多层面地系统研究，是我们今天深入认识传统武学价值，更好地继承、发展、弘扬民族文化的一项重要内容。

本丛书由国内外著名专家或原书作者的后人以规范的要求对原文进行点校、注释和导读，梳理过程中尊重大师原作，力求经得起广大读者的推敲和时间的考验，再现经典。

“武学名家典籍”丛书，将是一个展现名家、研究名家的平台，我们希望，随着本丛书第一辑、第二辑、第三辑……的陆续出版，中国近现代武术的整体风貌，会逐渐展现在每一位读者的面前；我们更希望，每一位读者，把您心仪的武术家推荐给我们，把您知道的武学典籍介绍给我们，把您研读诠释这些武术家及其武学典籍的心得体会告诉我们。我们相信，“武学名家典籍”丛书这个平台，在广大武学爱好者、研究者和我们这些出版人的共同努力下，会越办越好。

导读

陈微明（1881—1958年），原名曾德，字慎先。读《离骚》，慕屈原（名正则，字灵均）之为人，易名曾则，改字天均。湖北浠水人，出生在北京一个累世为儒的家庭。

他的曾祖父陈沆（1785—1826年），原名学濂，字太初，号秋舫，嘉庆二十四年己卯恩科（1819年）状元，授翰林院修撰，出任四川道监察御史，还担任过广东省大主考，礼部会试考官等。秋舫先生"以诗文雄海内"，与魏源、龚自珍、包世臣等友善，交往甚密。祖父陈廷经（1804—1877年），字执夫，号小舫。从小随父在京城时，师从魏源（1794—1857年）课读，通经世大略，道光二十四年（1844年）甲辰科进士。早年淡于仕进，乐江南山水，徜徉木渎之间，五十始入都，供职擢御史，官至内阁侍读学士，为人耿直，抨弹不避权贵，所劾去者有四督、五抚、六藩司。曾上书具陈边疆各省制外夷之法，弹劾太监安德海奸佞骄横。屡疏荐曾国藩、胡林翼、左宗棠诸人，才可大受。上书设立同文馆、建江南造船厂等。晚年日课金刚经，精易数，感异梦，悟前身事，遂自号梦迦叶居士。父亲陈恩浦

(1858—1922年)，字子青，以国学生捐得中书科中书之职。母亲周保珊（1854—1924年)，字佩云，系前漕运总督周恒祺家的千金。

微明先生，2岁时随家人回武昌生活。21岁时，与仲兄陈曾寿、三弟陈曾矩同举湖北乡试孝廉。24岁，发妻范氏难产离世，同年，科举废止。1911年，辛亥革命爆发，举家从武昌迁移上海，后又蛰居杭州，漂泊于北京、杭州、上海之间，颠沛流离，国变家难，历经生活的种种磨砺，他的人生轨迹也由此发生了巨大的改变。仿佛一夜之间，微明先生发现二十来年的奋发激励，慷慨有为，统统被时代的洪流荡涤殆尽，他的心思一下子变得虚空宁寂，他不想再向前去往哪里，也不知道哪里才是他应该去的地方；他觉得自己已经在这人世间来来往往走了好几遍，却并不知道哪里才是自己最后的归宿。庄子的“寥已吾志，无往焉而不知其所至，去而来而不知其所止，吾已往来焉而不知其所终”句，“不知其所至”“不知其所止”“不知其所终”，三个不知，三个疑问，彻底地让他反思自己以往的人生之路，也由此深深触动了微明先生的灵魂，从此他以“寥志”为号，内心也开始由儒学而逐渐转入了老庄之道。

他曾在杭州求是书院，担任过舆地学教授，在北京京师五城学堂教过《左传》，去优级师范学校教过国文诸子学。他还担任过清史馆编修，在严复家做过家教，也在胡雪岩的侄儿胡藻青家做过家教。后来遇到完县孙禄堂先生，学得形意拳、八卦掌，遇到永年杨澄甫先生，学得太极拳。从此，太极拳开始真正改变他的一生。后来，他取《老子》“将欲歙之，必故张之，将欲弱之，必故强之”句，以“微明”自号，鬻拳江湖，取《老子》“专气致柔”之意，于1925年在沪上创立“致柔拳社”。从此，微明先生以文入武，以武入道，乃至最终走上性命之学的践行之路。

致柔拳社创立以来，社员从十几人、数十人，发展到数百人、数千人；拳社地址，也随着拳社规模的扩充，从原先的福煦路民厚里六百零八号，迁入李诵清堂路二百二十五号，再迁址至七浦路二百八十八号，乃至最后长期租借西藏路四百八十号宁波旅沪同乡会，各类专项培训班、分社也应运而生。譬如山西路二二五号及西武昌路十四号，开设的女子体育师范班、苏州大郎桥巷二十六号陆宅开设的致柔拳社苏州分社、愚园路十六号的女子国术社、莫干山菜根香饭店后所设立的致柔拳社莫干山分社、致柔拳社广州分社等等，前后师从他学拳的人不下万人。沪上工商界、文艺界精英、党国政要，乃至市井商贾、负贩狗屠，汇聚在他的拳社，“自贵人达官、文儒武士、工商百业、僧道九流、舆台厮卒、中外国之士女从之游者，无虑数千人”，“陈微明”三字，几乎成了沪上、乃至大江南北喜好太极拳者所心仪之名号，“致柔拳社”的招牌也成为他们所神往的圣殿。吴志青《太极正宗》一书盛赞微明先生：“广事授徒，大有孔门之盛况，并著《太极拳术》一书风行全国。盖此时代，可谓太极拳之黄金时代也。”孙禄堂先生在沪上，曾公开对武术界各派人士说，倘若不是陈微明创立致柔拳社，提倡武术，怎么可能有而今这样发达的局面呢，“吾人皆应感激微明之意也”。陈微明先生与他的致柔拳社，为民国年间开太极拳之盛，厥功至伟。

分别刊行于1925年、1928年、1929年的《太极拳术》《太极剑》《太极答问》三书，是微明先生总结拳学理论以及教学经验而编著的教材。在微明先生看来，内家拳，术技也，而源于道，“明乎道者，其学易而功深，非鲁莽躁急者，所能强为也”，尤其是此太极拳三册专著，阐明“专气致柔”之旨，动静交修之法，书成风行，一版再版，洛阳纸贵，成为当时太极拳界经典的拳学著作。

《太极拳术》，由郑孝胥题签书名。版权页署：著者陈微明，发行者致柔拳社，印刷者为中华书局。代售处为：大马路华德钟表行、棋盘街启新书店及各大书坊。版权页不署版次，所以无从确知初版的年月以及再版的版数。孙绍濂序言称：“先生蓄道德，能文章，曾任清史馆纂修，以杨先生口授之太极拳，笔述成书，多所阐发，稿赠杨先生以酬答之。杨先生藏之数年，不以付梓。余与秦君光昭、王君鼎元、岑君希天闻之，请先生怂恿出之，以传于世。先生书往，杨先生欣然寄稿，并图五十余幅”。由此看见，此书应该是微明先生在北京，向杨澄甫老师学拳时所编著，原本是为报答杨澄甫授拳之恩，而将书稿赠予杨澄甫老师的。后来一方面因为杨澄甫老师得此稿后，也没有出版的计划，另一方面，微明先生在沪上开设致柔拳社之后，学员也急需教材，孙绍濂与秦光昭、王鼎元、岑希天等早期的学员，就“请先生怂恿出之”。于是微明先生写信给杨澄甫后，杨澄甫老师便将书稿寄了回来，并且还附上了杨澄甫老师五十余幅中年拳照。由此可知“乙丑六月”（1925 年 6 月），应该是微明先生收到杨澄甫老师书稿的时间。

1925 年 10 月 3 日，《申报》刊陈志进先生撰稿的新书出版预告，云：“太极拳术，为却病延年最无流弊之运动，自广平杨露禅先生至京师传授弟子，学者渐多。然中国武术传授之际，师徒之分极严，心有不明，不敢问也。必须为师者高兴之时，为弟子说其大意。杨少侯尝言，往往年余只能见其伯父班侯练习拳架一次，实难以揣摩。故杨氏所授之弟子，派衍流传，其拳架又微有出入，盖已不能得其正确之姿势也。惟健侯幼子澄甫，因钟爱，故极用心教授之。故欲学太极拳之正确姿势，当以澄甫之拳架为准。以其开展中正，处处动腰，无微不到也。陈微明君从学于澄甫先生，精研者七八载。而近世风气与前大不相同。往时学拳者，多属不字之辈。只知下苦功，不知用脑力。太极拳精微奥妙，非用脑力，不能得其深意。微明君以文人，注意于此，澄甫又加以青眼。问省既格外详细，传者自不能不悉心指导。微明遂将澄甫先生口授之太极拳术，笔之于书。又请澄甫亲自摄影，其缺者，微明又补照之，又与余合摄推手之图，共六十余幅，加以说明，至详且尽。又将王宗岳《太极拳论》，详加注释，微妙之理，发衅无余。现付中华书局刷印，不日即可出版。余知此书之出，拳术界当放一大光明也，特不惮烦，介绍于世之好武术者。”

1925 年 10 月 19 日，《申报》接杭州中华书局来函，发布“武当嫡派《太极拳术》出版”的书讯，称：“此书乃广平杨澄甫口授，鄂陈微明笔述，内有钢版图式六十余幅，加以说明，至精至详。后附王岳宗《太极拳论》，微明君注释，微妙之理，发挥无余。前有冯蒿庵、朱古微、王病山、陈散原诸名人题词，诚内家拳术最有价值之书也。实价八角。总发行处：西摩路北致柔拳社。分售处：北京路佛经流通处、棋盘街中华书局及各大书坊。”由此可证，初版时间为 1925 年 10 月 3 日至 10 月 19 日间，初版的书价为大洋八角。

此次校释，就太极拳动作描述部分，只是纠正了动作与照片不符处，另外对于文字描述容易误读、误解处，稍加注释说明，其他一依原著。读者倘若想进一步研讨杨澄甫老师的拳势变化，可以将此本与许禹生的《太极拳势图解》和杨澄甫的《太极拳使用法》两书，相互参阅。后附王岳宗《太极拳论》，微明先生的注释，由于语境的变化，便于现今的阅读习惯，二水适当添加了自己的一些拳学体悟。后辈如我等，无缘得窥微明先生丰姿，无缘秉受微明先生亲炙，“貂不足，狗尾续”，在所难免焉。微明先生以为，太极拳的拳技原理，契合老子《道德经》的精髓，所以，他将老子《道德经》中与太极拳拳技原理相吻合的经典论说，逐一摘录，并以太极拳的讲论予以微显阐幽，名之为《太极合老说》。二水参合自身的拳学体悟，略作诠释，读者谅不以续貂为唐突也。

《太极剑》，由郑孝胥题签书名，李景林题写“剑光凌云”，吴江钱崇威、泾县胡韫玉、求物治斋主人黄太玄作序。后附太极长拳及太极拳名人轶事。另有陈志进著“太极拳与各种运动之比较”“太极拳之品格功用”两文。此书版权页署：著者陈微明，发行者致柔拳社，印刷者中华书局。代售处为：中华书局及各大书坊。

此书出版后，微明先生弟子严履彬，曾遵师嘱，对《太极剑》数势，都有补正。1959年10月微明先生弟子梁溪荣如鹤先生，从严履彬赠贻同学张海东的抄本中，抄录后，赠贻李祖定。李祖定系微明先生女婿，他与微明先生女儿陈邦琴夫妇两人，曾从家师慰苍先生学习太极拳，复将此补正稿，抄赠家师。此次校释，将严履彬补正的数势一一予以补入。另外纠正了胡朴安先生序言中所引颜习斋“折竹为剑舞”事。并将《考工记》《典论·自序》《颜习斋先生年谱》《颜习斋先生传》等相关资料一一补入，以供谈助。微明先生曾得李景林武当对剑之法相授，他曾希望等待他“习之精熟，再述为书，以饷世人”，可惜哲人已逝，斯技亦已空谷幽兰。此次校释，二水以武当对手剑中“击、崩、点、刺、抽、带、提、格、劈、截、洗、压、搅”十三势，以释解微明先生剑势中相应的式势，虽未能一酬其幽兰之芬芳，亦合掌作拍，以期空谷之回响也。

《太极答问》，由微明先生自己题签书名。版权页署：著者陈微明，发行者致柔拳社，印刷者中华书局。代售处为：棋盘街启新书店、大马路华德钟表行、各大书坊。版权页也无版次印数。李景林题写“剖析毫芒”，褚民谊题写“柔能克刚”，微明先生自序。内容以问答形式，分作“太极拳源流之补遗及小说之辨正”“太极拳之姿式”“太极拳之推手”“太极拳之散手”“太极拳之劲”“太极拳之导引及静坐法”“学太极拳者之体格及成就”“太极拳之效益”“太极拳之单式练法”等几大类，就初学者相关问题，逐一加以详细解答。尤其是“太极拳之推手”一节，微明先生首次简要地为“听劲”下了一个定义：“知觉对方用力之方向、长短，谓之听劲”。从此“听劲”一词，成为太极拳推手训练中，最为经典的理论。后附“致柔拳社简章”“致柔拳社出外教授简章”“致柔拳社三年毕业课程”，实系研究致柔拳社重要的文献资料。

1929 年 10 月 31 日，《申报》刊发此书广告：“致柔拳社社长陈微明君，近著《太极答问》一书，对于太极拳精妙之意，阐发无遗。其目录分为源流、事实、姿势、推手、散手、导引、静坐、练太极拳者之体格、效益、单式练法、多种单式练法，专为远方不能入社者而作，为全国人普及练习，无师而可以明了，实具绝对之热心。闻此书业已付印，不久即可出版云。”由此可证初版应该在 1929 年 11 月间。而从此书六届毕业生名录可证，此本系 1935 年 11 月刊行的第四版。1935 年 11 月 14 日《申报》载：“陈微明著《太极拳术》《太极答问》《太极剑》等书，出版以来，风行全国。现又四版出书。《太极拳术》增图百数十幅，与电影无异，为学太极拳者最好之模范。《太极答问》，内分姿势、推手、散手、论劲、静坐等目，于太极拳之精微，阐发无遗，欲深造者，不可不看。并有单式练法，可以无师自习。《太极剑》附有名人轶事，最饶兴趣。默新书局、千顷堂、中华照相馆，及致柔拳社有寄售。”

此次校释，补充了雍正曹秉仁纂修《宁波府志》、黄宗羲《南雷文定集》之王征南墓志铭、黄百家《学箕初稿》中的《王征南先生传》《三丰全书》拳技派、《太极功源流支派论》中的许宣平、夫子李、程灵洗、宋仲殊等资料，以及《侠义英雄传》所载杨班侯事，以助谈资。涉及太极拳技、推手等答问，二水也参合自身的体悟，多有阐发。并将后附之“致柔拳社社员姓名录”、“出外教授姓名录”、第一届至第六届毕业生姓名、“苏州分社社员姓名实录”“广州分社姓名录”“广州公安局”“广州总司令部”等之名录中，姓名稽考者，一一加以补注，对于研究致柔拳社历史，实系不可或缺的资料。

微明先生自创立致柔拳社以来，教学相长，在传授拳艺的同时，他也深受致柔拳社社员，诸如关絅之、江味农、谢泗亭、沈星叔、赵云韶、释常惺、陈元白、赵炎午、欧阳正明、持松等沪上佛学居士、高僧大德的耳闻目染，微明先生由此开始接触佛学。他先后与金山活佛妙善法师、白普仁喇嘛结缘，1937 年逢能海上师来沪上设金刚道场，微明先生“受戒因缘到”，由此而皈依佛学。赵朴初先生也在微明先生的致柔拳社与佛学结缘，并且结识了微明先生的侄女陈邦织，两人缘结并蒂，牵手走完一生。

微明先生于学，无所不窥，自小学经史诸子，百家之言，旁及内典道藏，天文舆地历算，法帖图画之书，无不穷究。他喜好古文辞，出入周秦两汉唐宋诸大家，辅加他醇厚的德性，超远的襟怀，他的文辞，感人至深。所著《清宫二年纪》《慈禧外纪》《欧洲战纪初编》《欧洲战纪二编》《文体讲义》《训诂讲义》《音韵讲义》等书，皆风靡一时。定居沪上后，又相继出版《海云楼文集》《御诗楼续稿》《双桐一桂轩续稿》，多收抒发哀慕之思、师友亲情之作，其时国学大家，诸如番禺梁节庵、桐城马通伯、义宁陈散原、嘉兴沈寐叟等先生，对其至情至性之作，多加赞许。

早年的国变家难，让微明先生由儒学而转入老庄之道。晚年的生活阅历，又让微明先生由老庄而醉心佛学。1958 年 9 月 2 日（农历七月十九），微明先生走完了他的性命践行之路，在上海永嘉路寓所安详示寂，满屋檀香，经日不散。诚如杨氏太极拳老拳论三十二目之《口授张三丰老师之言》所云："予知三教归一之理，皆性命学也。皆以心为身之主也。保全心身，永有精气神也。"微明先生出入于三教，而究竟于太极。文修于内，武修于外，由文而入武，由武而入于道，文思安安，武备动动，允文允武，最终"尽性立命，穷神达化"，为后世学者探索了一条性命之学的践行之路。

太極拳術

乙丑夏五孝胥

鄭

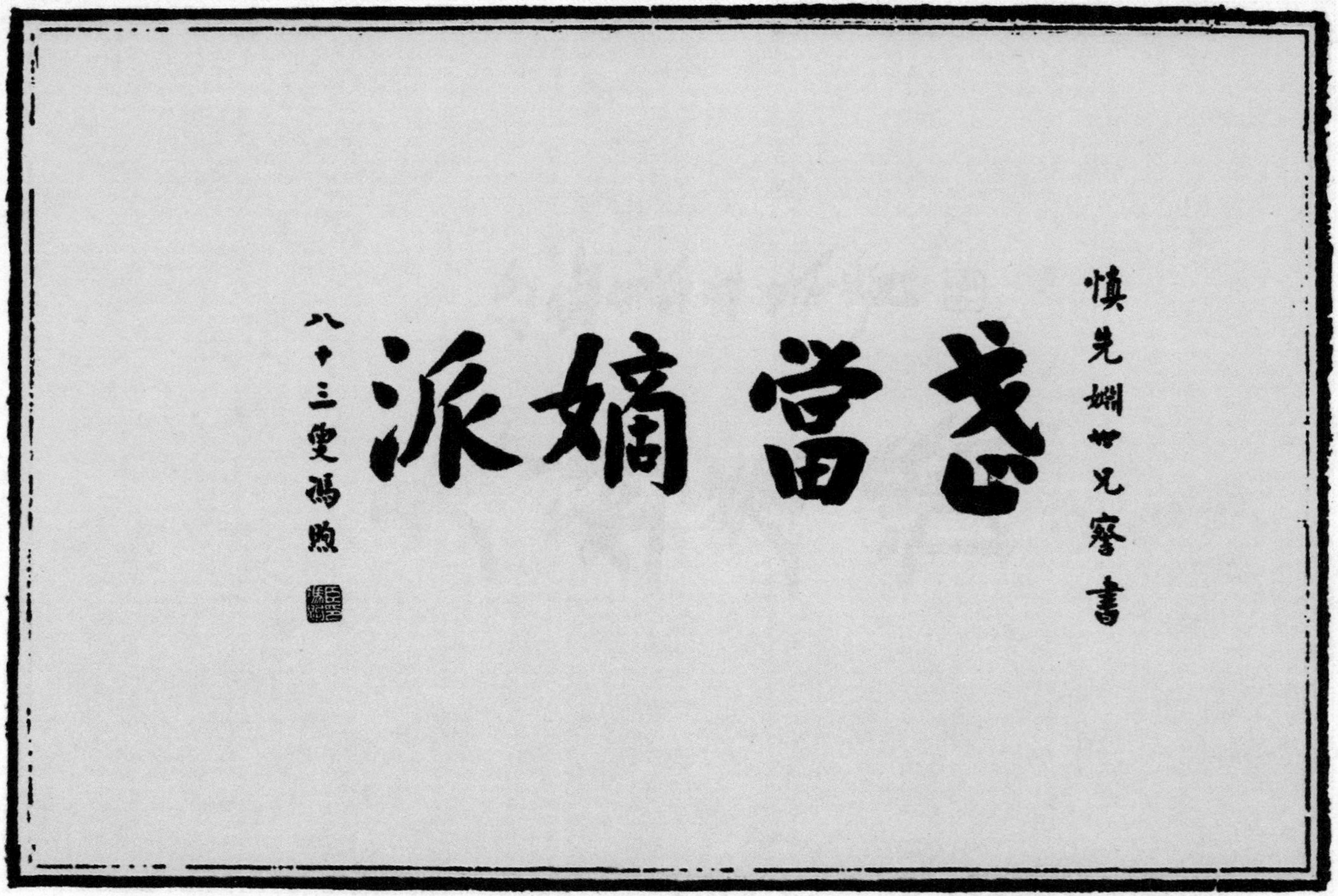
慎先姻世兄鑒書
武當嫡派
八十三叟馮煦

老子曰專氣致柔
能嬰兒乎莊子曰
得其環中以應無

窮解此可以讀是
編矣乙丑五月陳
三立題記

大道以虛為本以因為用無成勢無常
形故能究人之情不為物先故常為主
有法無法因時為業有度無度因人与
合故曰其道不朽時變是守觀是書知
太極拳術之體用与道合矣

潛道人題

連環可解
肯際未嘗

朱孝臧題

從其彊梁隨其曲傅

因以曼衍和以天倪

乙丑大暑 胡嗣瑗題

贈微明

世亂知契少索居忽三秋再見崑旦夢劇談時忘憂敘言
難諧俗畫已能遠蓄書法思白筆文瀾震川流負米走燕趙
老髮白頭人海百年身與君共動猶
學書兼學劍日演龍虎勢手揮金剛拳心會太極意直體同射德
通變達易義揉柔以制剛所投無不利末世多彊梁捍國賴利器扶
陽斯抑陰頗君竟其志
我老不足畏君胡不我棄竭來共晨夕觀縷憂患事絮語
遺晝長聯床禁夜睡遠遊不忘親投筆苦無地時復
勞筋骨童惟調血氣天涯夢魂中君家幾昆季
漢皋挽征櫂長公與同遊歌浦姒停驂娣子來綢繆君
復患於頹朗至不可留江海有遺子聚散如浮漚天道
果如此百年將焉求努力君自富吾衰志誰酬

乙丑立秋前一日復園重錄於海上學海樓

楊健侯先生遺像

楊澄甫先生

著者陳微明

致柔拳社二週紀念全體攝影

戊辰四月初九日致柔拳社三週紀念公祝張三豐祖師拳誕攝影

致柔拳社四週紀念全體攝影

孫祿堂 楊少侯 楊澄甫 吳鑑泉 褚民誼 諸先生均到會

致柔拳社六週紀念攝影

蘇州致柔拳社一週紀念攝影

致柔拳社五週紀念社員攝影

致柔拳社恭祝張三丰祖師壽誕（逝）紀念攝影

序

思允於己酉歲。因張君立識李斌甫。始聞太極拳之名。越八年。陳愼先從廣平楊澄甫學。屢約余以事不果。未久。澄甫南游。又因愼先識孫祿堂。每以年長難學爲憾。祿堂曰。子毋慮。凡學內家拳者。苟倘有氣。即可學。余意大動。立與愼先請業於楊先生少侯。未數月。少侯之弟澄甫先生自南歸。乃改從先生遊。今六年餘矣。同學前後至衆。或作或輟。惟余與愼先相約。不少間斷。祈寒袒衣。盛暑揮汗。未嘗以爲苦也。擊撞創痛。屢起屢僵。未嘗以爲恥也。太極拳爲體。推手爲用。其始循例動作。亦步亦趨而已。久之。能不脫。又久之。能不抗。由整而散。漸漸能不亂。尤難者。彼此相黏。必求機勢。機勢者。順逆向背堅瑕之區別也。機勢得矣。必求方向。或上或下。或正或隅。得之則如脫彈丸。失之則如撼大樹。方向得矣。必求其時。早則我勢未完。遲則彼覺而變。三者皆得。而又動之至微。發之至驟。引之至長。此則余能知之於心。宣之於口。而不能嫺之於手者也。余見練此者衆矣。皆莫能與澄甫先生抗。先生猶自言如與若祖若伯若父較。必有所未逮。然後歎此藝之精深博大如此。顧余於此藝。有引申者二事。其一則世所共知者養身是也。交通部許君年近六十。咳唾喘促。乃習斯術。今行步如飛矣。杜姓童子。虛痔哮脹。從其舅學。今爲健兒。其他學一節一式而有效者。不可殫述。蓋有導引之利。而無其弊。故其驗甚明著。其一則世所未知者。養氣是也。吾人之大患。淺率浮躁。恃强任氣。太極拳之要訣。則曰氣沈丹田。又曰心靜神歛。學者先練其身。以次練心。又以次練神。深以測淺。靜以制動。柔以克剛。大之可以應付曲當。小之亦可以全身遠害。是故無老少。無文武。無男女。皆可學。皆當學。學焉而各得其性之所近。不有得於此。必有得於彼。此余所以津津樂道者也。澄甫先生當采余言。以爲甚韙於理。屬書之以爲太極拳術序。乃雜書其意如右。乙丑夏日武進徐思允謹序

序

慎先同年。余總角交也。幼同嬉游。長同讀。壬寅又同舉於鄉。嗣後余宦游滬上。遂相別。聞慎先游京師。學內家拳術。心甚慕之。今年慎先來滬。始知其苦功練習者。有七八年之久。余偶邀諸友人李君雲書。江君味農。徐君冠南。聶君雲台。王君一亭。沈君惺叔。謝君泗亭。趙君雲韶等。皆欣然約從學。乃知太極拳術。其妙全在不用氣力。而其極難亦在於此。諸君及余皆年過四五十。手足木强。不能婉轉靈活。然習之數月。亦漸能隨心應手。乃知斯術無一處不合於自然。無絲豪之勉强。余每日聽訟疲勞。必休臥片時。今則精神振發。可不復休息矣。諸君中有痔疾及肢體痲木者。亦皆痊愈。人言內家拳術能却病延年。誠非虛語。慎先著太極拳術。將付梓屬作序文。爰略書實事於右。預知此書必可風行海內無疑也。乙丑夏六月

關炯

序

余童年聞人道武俠事。輒不覺手舞足蹈。樂而忘倦。嘗心慕武當派內家拳術。而生長南邦。不出里門一步。卒無所遇。蘄水陳愼先先生。善太極八卦形意三家。太極爲廣平楊澄甫先生所授。楊氏世傳太極。蓋武當嫡派也。今年夏。陳先生來滬。籌辦致柔拳社。甫於報端披露消息。而報名者紛至沓來。余聞之喜出望外。亟入社從先生學。先生蓄道德能文章。曾任清史館纂修。以楊先生口授之太極拳筆述成書。多所闡發。稿贈楊先生以酬答之。楊先生藏之數年。不以付梓。余與秦君光昭王君鼎元岑君希天聞之。請先生慫恿出之。以傳於世。先生書往。楊先生欣然寄稿。并圖五十餘幅。將付刊。先生命誌其崖略。因略道其事實。兼及生平往事。深幸志願之克遂云耳。乙丑六月潔人孫紹濂謹序

序

余幼聞武當派太極拳之名。心慕之而未遇知者。乙卯游燕。得見完縣孫祿堂先生。授以形意八卦。聞友言廣平楊氏世傳太極。丁巳秋。訪得楊露禪先生之孫澄甫。不介而往見。問曰。人言太極楊氏最精而弗輕傳人。然乎不乎。澄甫先生笑曰。非不傳人。願得其人而傳也。吾祖受之河南陳氏。今將歸之陳君。如好之。吾不秘惜。於是從學七年。以澄甫先生口授之太極拳及大小攌諸式。筆之於書。以傳於世。太極拳術。宋張三丰祖師所傳也。稱爲武當內家。其異於外家者。舉之略有數端。一動中求靜。與道相合。一純以神行。不尙拙力。一呼吸根蔕。氣沈丹田。一循環無端。綿綿不斷。一不離不距。隨機應變。一專氣致柔。以弱勝强。其術純任自然。無幾微勉强。余年二十餘。軀羸多病。髮白十之三四。自遇孫楊二先生習內家拳術後。精神發越。大異於前。余友有因病習者。雖勞傷痼疾。莫不霍然脫體。誠養生却病之妙術。禦侮其餘事也。余今年創辦致柔拳社於海上。招集文雅之士。共同研習。因印此書俾學者有所遵循。求其體式之中正。又將王宗岳先生所著太極拳論。加以注釋。附印於後。俾學者知用法之精巧。惟是太極拳式。曲中求直。變動不居。實難以筆墨形容。雖力求簡明。仍恐有不盡之處。閱者諒焉。乙丑夏陳微明識

凡例

一太極拳。時時變動方向。說內不得不以東西南北方向表示。俾閱者易明。至練熟後。則不擇方向矣。

一圖式皆楊澄甫先生所攝影。其中有未備者。余爲補之。其規矩分寸均謹守澄甫先生所授之姿勢

一順步推手大攦。乃澄甫先生及許君禹生合照。僅四圖。未盡推手之形式。余與致柔拳社助教陳君志進合照補之

一推手二人合手之圖。說中分甲乙。右爲甲。左爲乙。

一大攦四圖。形勢皆備。甲乙可互相變換爲之。

太極拳術目錄

太極拳術

張眞人傳

眞人遼東懿州人。姓張。名君實。字元元。號三丰子。又號昆陽。或云姓張。名玉。字君寶。號元元子。宋末時人。生有異質。龜形鶴骨。大耳圓目。身長七尺餘。修髯如戟。頂作一髻。常戴偃月冠。一笠一衲。寒暑御之。不飾邊幅。人皆目爲張邋遢。所啖升斗輒盡。或避穀數月自若。延祐間。年六十七。入嵩南。遇呂純陽鄭六龍。得金丹之旨。或云入終南得火龍眞人之傳。秦淮漁戶沈萬山好善樂施。眞人傳以點石成金之術。元末居寶雞金臺觀。至正丙午九月二十日。自言辭世。留頌而逝。士民楊軌山置棺殮訖。臨窆復生。時年百三十歲矣。入蜀至太和山。結茅於玉虛庵。庵前古木五株。嘗棲其下。猛獸不傷。鷙鳥不搏。衆皆驚異。有人問仙術。絕不答。問經書。則論說不倦。常語武當鄉人曰。此山當大顯。明永樂間。勅修武當。眞人隱於傭工。人皆不識。孫眞人碧雲爲武當山住持。與眞人來往。多受其敎。永樂帝聞之。遣使屢召不赴。以詩詞託碧雲奏之。後以道授道士丘元靖。不知所終。世傳太極拳術。乃眞人所傳也。

太極拳術源流

拳術有內外家之別。外家傳自少林。內家始於宋之張三丰。三丰為武當丹士。徽宗召之。道梗不得進。夜夢元帝授之拳法。厥明以單丁殺賊百餘。三丰之術。百年後流傳於陝西。王宗名最著。傳溫州陳州同。明嘉靖間傳於張松溪。松溪恂恂如儒者。遇人恭謹。求其術。輒遜謝。有少林僧數輩。聞其名。至鄞訪之。遇於酒樓。一僧跳躍來蹴。松溪稍側身。舉手送之。僧如飛丸隕空。墮重樓下。幾死。衆僧駭散。松溪傳於四明葉繼美近泉。近泉傳吳崑山周雲山單思南陳貞石孫繼槎。崑山傳李天目徐岱岳。天目傳余波仲吳七郎陳茂宏。雲泉傳盧紹歧。貞石傳董扶輿夏枝溪。繼槎傳柴元明姚石門僧耳僧尾。思南傳王來咸征南。征南搏人每點其穴。有死穴暈穴啞穴。其術要訣。為敬緊徑切勤五字。明亡。終身菜食。以明此志。識者哀之。至清傳山右王宗岳。太極拳論。宗岳所著也。數傳至河南陳先生長興。蔣先生發長。興授徒數十人。廣平楊先生露禪。名福魁。傾貲從學。居數載。與同門諸人較輙負。偶夜起。聞隔垣有呼聲。越垣。見廣厦數間。破窗隙闚之。其師正指示提放之術。大驚。於是每夜必竊往。久之。盡得其奥妙。隱弗言。長興以露禪誠實。一日召授其意。所言無不領會。長興異之。謂諸徒曰。傾心授爾。爾不能得。楊生殆天授。非汝等所能及也。厥後與同門角。無不跌出丈餘。曰。吾以報復也。技成乃歸。長興傳楊露禪李白魁陳耕芸諸人。惟露禪最精。傳其子錤鈺鑑。及王蘭亭諸人。大先生錤早死無傳。二先生鈺字斑侯。傳萬春全佑侯得山陳秀峯。三先生鑑字健侯。傳其子兆熊兆清兆元兆林兆祥劉勝魁張義。兆熊字少侯。傳田肇麟尤志學等。兆清字澄甫。傳武滙川牛春明閻仲魁等。肇麟等亦從學。許禹生亦從少侯澄甫研究。予與徐苕雪陳農先。從澄甫先生學。是編乃澄甫先生口授。予為筆述焉。全佑傳其子艾紳夏貴勳王茂齋。所不知者尚多。遺漏不及備載。陳微明述

太極拳術十要

楊澄甫口授
陳微明筆述

一虛靈頂勁　頂勁者。頭容正直。神貫於頂也。不可用力。用力則項强。氣血不能通流。須有虛靈自然之意。非有虛靈頂勁。則精神不能提起也。

二含胸拔背　涵胸者。胸略內涵。使氣沉於丹田也。胸忌挺出。挺出則氣擁胸際。上重下輕。脚跟易於浮起。拔背者。氣貼於背也。能含胸則自能拔背。能拔背則能力由脊發。所向無敵也。

三鬆腰　腰爲一身之主宰。能鬆腰。然後兩足有力。下盤穩固。虛實變化。皆由腰轉動。故曰命意源頭在腰隙。有不得力。必於腰腿求之也。

四分虛實　太極拳術。以分虛實爲第一義。如全身皆坐在右腿。則右腿爲實。左腿爲虛。全身坐在左腿。則左腿爲實。右腿爲虛。虛實能分。而後轉動輕靈。毫不費力。如不能分。則邁步重滯。自立不穩。而易爲人所牽動。

五沈肩墜肘　沈肩者。肩鬆開下垂也。若不能鬆垂。兩肩端起。則氣亦隨之而上。全身皆不得力矣。墜肘者。肘往下鬆墜之意。肘若懸起。則肩不能沈。放人不遠。近於外家之斷勁矣。

六用意不用力　太極論云。此全是用意不用力。練太極拳。全身鬆開。不使有分毫之拙勁。以留滯於筋骨血脈之間。以自縛束。然後能輕靈變化。圓轉自如。或疑不用力何以能長力。蓋人身之有經絡。如地之有溝洫。溝洫不塞而水行。經絡不閉而氣通。如渾身殭勁。充滿經絡。氣血停滯。轉動不靈。牽一髮而全身動矣。若不用力而用意。意之所至。氣即至焉。如是氣血流注。日日貫輸。周流全身。無時停滯。久久練習。則得眞正內勁。即太極論中所云極柔軟。然後能極堅剛也。太極功夫純熟之人。臂膊如綿裹鐵。分量極沈。練外家拳者。用力則顯有力。不用力時。則甚輕浮。可見其力乃外勁浮面之勁也。外家之力。最易引動。故不尙也。

七上下相隨　上下相隨者。卽太極論中所云。其根在脚。發於腿。主宰於腰。形於手指。由脚而腿而腰。總須完整一氣也。手動腰動足動。眼神亦隨之動。如是方可謂之上下相隨。有一不動。卽散亂矣。

八內外相合　太極所練在神。故云神爲主帥。身爲驅使。精神能提得起。自然舉動輕靈。架子不外虛實開合。所謂開者。不但手足開。心意亦與之俱開。所謂合者。不但手足合。心意亦與之俱合。能內外合爲一氣。則渾然無間矣。

九相連不斷　外家拳術。其勁乃後天之拙勁。故有起有止。有續有斷。舊力已盡。新力未生。此時最易爲人所乘。太極用意不用力。自始至終。綿綿不斷。周而復始。循環無窮。原論所謂如長江大河。滔滔不絕。又曰運勁如抽絲。皆言其貫串一氣也。

十動中求靜　外家拳術。以跳躑爲能。用盡氣力。故練習之後。無不喘氣者。太極以靜御動。雖動猶靜。故練架子。愈慢愈好。慢則呼吸深長。氣沉丹田。自無血脈僨張之弊。學者細心體會。庶可得其意焉。

太極拳式

閱以下說明參觀附圖尤爲明瞭

攬雀尾

向南正立。兩足平行分開。與兩肩齊。眼向前視。兩手下垂。此太極未動之形式也。如第一圖。

第一圖

第二圖

兩手毫不着力。向前向上提起。提與胸一平。手心向下。兩臂稍屈。不可太直。與腰同時下沉。左手轉至丹田。手心向內。向前伸出。(此即是掤)略與胸齊。右手同時向右向下分開。手心向下。五指向前。左足同時直向前進。此時全身坐在左腿。右足伸直不動。左實右虛。如第二圖。

右手隨腰。同時轉至左手處。手心隨轉向上。左手亦隨腰轉。手心隨轉向下。兩手如捧一圓球。右足往西邁。足尖正向西。與左足略成丁字形。右手左手隨腰隨右腿。同時向西圓轉。右手在前。左手在後。右手心向上向內。左手心向下向外。如抱

第三圖

圓球。眼亦隨向西視。此時全身坐在右腿。左腿伸直。凡兩足之距離。人之長短不同。以各人之最適處爲度。

右手與左手。隨腰往右圓轉。右手心隨轉向下。左手心隨轉向上。右手在上。左手在下。與腰同時往回收。全身坐在左腿(此即是攦)左腿變實。右腿變虛。如

第三圖。

右手隨動。手心隨轉向後向內。左手隨動。手心隨轉向前向外。左手心距離右手脈門二寸許（此即是擠）兩手同時向西擠出。腰亦隨之前進。至右腿變實。左腿變虛如第四圖。

第四圖

兩手與腰與腿。同時往回鬆。兩手收回時。略向上提。手尖向前。手心向下。收至左腿坐實。兩手復同時往西按出。兩手心向外。手尖向上。垂肩墜肘。略與胸齊。（此即是按）右腿復實。如第五圖。

第五圖

單鞭

兩手與腰與腿復同時往回鬆。右手屈回。如畫一小圓規。復往西鬆直。五指旋卽垂下。變爲吊手。左手與右手同時屈回。由左而右。如畫一大圓規。轉至右肩時。手心向內。右足向西者。將足跟轉使向南。全身坐在右腿上。此時左足亦同時向東邁去。足尖畧偏於北。此時右足跟亦同時轉動。足尖略向東南。全身坐在左腿上。左腿變爲實。左手隨動隨轉。變成朝外。往東變成單鞭與左足同一方向。右腿伸直。眼神隨之如第六圖。

第六圖

提手

左足跟轉向南。左右兩手同時相合。隨腰轉向西南。右手略前。左手畧後。兩手心相對。沉肩墜肘。須鬆開捧起。不可有夾勁。右足同時提向西南。後跟點地。足尖畧翹起。眼神亦隨之。此式左腿爲實。右腿爲虛。如第七圖。

白鶴亮翅

第七圖

第八圖

右足略進半步踏實。使足尖向東南。全身隨坐在右腿上。兩手與腰同時而轉。右手轉下。手心向上。左手轉上。手心向下。兩掌斜對如抱圓球。隨卽分開。右臂隨腰向西南往上提起。眼神隨之提至右手心轉向外。眼神漸漸轉向東。左手同時往左分。轉至手心向下。左足隨提前。足尖點地。正對東向。此式右腿變實。如第八圖。

左摟膝抝步

腰往下鬆。右手心轉向後。隨腰下垂。往後圓轉而上。轉由右耳邊按出。左手同時隨腰而上。由胸前往右摟至左膝外。手心復向下。左足同時隨往東邁。腰隨手前進。至左腿變實。如第九圖。

第九圖

手揮琵琶式

右足略提起。隨落下。右手隨身之落勢。收回在後。左手隨身。提起在前。兩手心相對。如抱琵琶。沉肩墜肘。鬆開捧起。不可有夾勁。左足隨身收近。足跟點地。足尖翹起。右腿仍實。如第十圖。

左摟膝抝步

仍鬆腰。左手摟膝。右手往後圓轉。隨身往前按出。左腿變實。如前第九圖。

右摟膝抝步

第十圖

第十一圖

左足跟轉向東北。腰下鬆。左手心轉向外。隨腰下垂。往後圓轉而上。轉由左耳邊按出。右手同時隨腰而上。由胸前往左摟至右膝外。手心向下。右足隨往東邁。腰隨手前進。至右腿變實。右摟膝與左摟膝無異。惟左右不同耳。如第十一圖。又變手揮琵琶式。

手揮琵琶如前第十圖

進步搬攔錘

由琵琶式。兩手心相對。隨腰往左轉。左手轉至手心朝下。右手轉至手心朝上。

第十二圖

第十三圖

左手在上。右手在下。右手轉至左脇際握拳。又隨腰往右鬆藏於右脇間。此時右腿同時提起邁一步。使足尖朝東。全身坐於右腿上。左手亦同時隨腰往前探出。如第十二圖。

右足跟轉向東南坐實。左手隨往左搬

攔。右拳隨即打出。左手如扶右手肘內。手尖向上。左足亦同時前進坐實。如第十三圖。

如封似閉

左手旋穿出右肘。手心向上。兩手隨腰往後抽。左手心貼住右臂漸移漸分至

第十四圖

第十五圖

兩掌近於胸際。此時右腿變實。然後兩掌復隨腰前按至左腿變實。如第十四圖。

十字手

左足跟轉向南。兩手先往上分開。向下圓轉後又由下而上。復合為斜十

字。右足隨右手同時移近左足。平行而立。此式面向南方。如第十五圖。

抱虎歸山

右手向西北。左手向東南分開。右足隨右手往西北邁步。此時全身尙坐在左腿。左手分開後。旋卽轉上。由耳邊向西北按出。腰亦隨之前進。卽坐在右腿上。右手分開後。同時轉至脇下。下垂。手心向上。如第十六圖。

第十六圖

右手復轉上。手心轉向下。至左手處。兩手隨腰攦回。坐在左腿上。兩手復擠出。按出。與攬雀尾同。

肘底看錘

兩手按出後。如單鞭式。右手鬆直。手指稍垂。不必成爲吊手。左足略提起落下。足尖轉向東南。右足隨提起往南邁。與左足相離二三尺許。足尖亦向東南。左手轉至右肩時。不成單鞭。與右手同時隨身隨步畫一大圓規。左手畫至左邊。復轉回至胸際向東伸出。手心朝南。右手同時畫至胸前時。遂握拳收回。藏於左肘下。左足同時提至右足前。足跟點地。足尖翹起。此式面正向東。如第十七圖。

第十七圖

第十八圖

倒輦猴

右拳旋鬆開。由左肘下。往後圓轉而

上。由右耳邊按出。如摟膝拗步。而左足同時往後退步。使全身坐於左腿上。右足尖轉向正東。如第十八圖。

左手亦同時往後圓轉。而上由左耳邊按出。而右足往後退步。使全身坐在右腿上。左足尖轉向正東。如第十九圖。

兩手如輪。一來一往。左手出則右腿實。右手出則左腿實。或退三步。或退五步或退七步。至右手按出。

第十九圖

斜飛式

右手按出後。腰向左鬆。全身坐在左腿上。右手隨腰向左向下。左手由左圓轉而上。使兩掌相合。左手心朝下。右手心朝上。如抱圓球。右手旋隨右足向西南分開。

在上。左手向東北分開。在下。右手心仍在上。左手心仍在下。全身坐在右腿。眼神亦向西南。如第二十圖。

提手

左足略起。復落下。兩手收回相合。作提手式。右足亦略收回。如前第七圖。

白鶴亮翅。如前第八圖。

摟膝拗步。如前第九圖。

海底針

右足不動。右手隨腰收回。復隨腰向

第二十圖

第二十一圖

下垂手尖下指。手心向北。左足亦同時收回。足尖點地。左手仍在原處。眼神仍向前看。如第二十一圖。

扇通臂

右足不動。兩手隨腰提起。右手提至額上。手心向南。左手提至胸際。向東按出。左足與左手同時前進。全身坐在左腿上。如第二十二圖。

第二十二圖

撇身錘

左足轉向南。全身仍坐在左腿。左手曲肘西轉。右手曲肘東轉。左手掌心向南。右手握拳。拳心向下。如抱物狀。眼神亦轉向西。左足不動。兩手隨腰圓轉向西。右手隨腰往下鬆。藏在脇下。拳心向上。左手繞右拳上。往西按出。右足同時西轉。足尖朝西。坐實右腿。如第二十三圖。

上步搬攔錘

右拳由脇下提起。同左手隨腰往左收回。由下而上。如畫一橢圓。此時左腿坐實。右足略提起落下。足尖向西北坐實。進左步。左手搬攔。打右拳。與進步搬攔錘同。

第二十三圖

進步攬雀尾單鞭

左足跟轉向西南。右拳鬆開。同左掌隨腰往下鬆。坐實左腿。右足前進。右手心朝上。左手心朝下。變爲攬雀尾式。隨又變爲單鞭。如前第三第四第五第六等圖。

抎手

單鞭之後。右手吊手。鬆開變爲掌。手心朝下。隨腰往下往左圓轉。轉至左肩前。手心轉向內。復往右轉。隨轉手心隨轉向下。須鬆鬆捧起。務令極圓。右足隨右手往東橫移半步。左手同時亦鬆開。手心朝下。隨腰往下往右圓轉。轉至右肩前。手心轉向內。復往左轉。隨轉手心隨轉向下。鬆捧如右手。左足隨右手往東橫

第二十四圖

移一步。兩手圓轉如輪。右手至左肩前。左手伸直。左手至右肩前。右手伸直。抎右手。眼神與腰隨往右。抎左手。眼神與腰隨往左。抎右手坐右腿。抎左手坐左腿。如第二十四二十五兩圖。此抎手或三步或五步或七步。卽變爲單鞭。

第二十五圖

單鞭

右手抎直時。隨變爲吊手。左手遂變爲單鞭。左足亦略向東北。如前單鞭一樣。

高探馬

第二十六圖

左手隨腰收回。藏於左脇下。手心朝上。右手同時曲肘。由耳邊捧出。手心朝下。左足亦同時收回。足尖點地。腰收回時。隨收隨往上提。故曰高探馬也。此式右腿實如第二十六圖。

右分脚

就原式右手心朝下。左手心朝上相對。右手在上。左手在下。隨腰由右往左往下圓轉。左足同時隨腰隨兩手往東北邁步。兩手由下又往上相合作十字。眼神向東南。此式左腿變實。右足提起。足尖下垂。向東南踢出。足背須平。兩手同時兩邊分開。右手向東南。左手向西北。兩掌俱坐起手腕。手指向上。此式須渾身鬆開要有頂勁。不然則不穩矣。如第二十七圖。

第二十七圖

第二十八圖

左分脚

右足踢出。旋卽收回。右手由右往左。與左手手心相對。左手在上。右手在下。同時隨腰由左往右往下圓轉。右足同時隨腰隨兩手。往東南邁步坐實。兩手由下圓轉往上相合作十字。眼神向東北。左足提起。足尖下垂。向東北踢出。足背須平。兩手同時兩邊分開。右手向西南。左手向東北。兩掌俱坐起。手腕手指向上。與右分腳同。如第二十八圖。

轉身蹬腳

兩手相合作十字。左足收回。仍提起。足尖下垂。右足跟轉向北。兩手分開。左手朝西。右手朝東。左足蹬出。足心朝西。足尖朝上。此式身雖朝北。而眼神則隨向西看。如第二十九圖。

第二十九圖

左右摟膝拗步

左足蹬出後。旋收回。足尖下垂。全身坐在右腿。左足前邁。左手摟膝。右手按出。復換步。右手摟膝。左手按出。與前皆同。

惟中間無琵琶式耳。看第九第十一圖。

進步栽錘

右足尖轉向西北。左手摟膝。左足前邁。右手即由腰間向下打出。如第三十圖。

第三十圖

翻身白蛇吐信

翻身白蛇吐信。與撇身錘相同。惟方向不同。左足轉向北。全身坐在左腿。左手曲肘東轉。右手曲肘西轉。左手掌心朝北。右手掌心向下。如抱物狀。眼神亦轉向東看。左足不動。兩手隨腰圓轉向東。右手隨腰往下鬆藏在脇下。手掌心朝上。與撇身錘不同者。惟右手用掌不握拳。

左手繞右掌上往東按出。右足同時東邁。足尖朝東。

上步搬攔錘

右足跟轉向東南。全身坐在右腿上。兩手隨腰往回收。圓轉而上。右手向前打拳。左手隨之。以掌扶右腕。掌心朝南。左腿同時前邁。變實。與前第十三圖相同。

蹬腳

第三十一圖

左足跟轉向北。兩手相合。作十字。全身坐在左腿。右腿提起蹬出。兩手隨之分開。與轉身蹬脚同。惟左右脚不同耳。此式身向北。眼向東看。如第三十一圖。

左右披身伏虎式

右足收回。垂足尖落於左足處。左手往右。與右手同時。隨步隨腰。往下往西。圓轉而上。握拳。手心朝外。右手由丹田而上至胸際。握拳手心朝內。左手在額之上。右手在胸之下。上下相對。兩手轉時。左足同時往西橫移。全身坐在左腿。右腿伸直。此式面向正北。如第三十二圖。左足尖轉向東北。兩手隨腰右轉。向於東南。左手由上往左圓轉而下。轉至胸際。手心朝內。右手由下往右圓轉而上。轉至額上。手心朝東南。右足同時隨腰轉向東南。全身坐在右腿。左腿伸直。此式面向東南。如第三十三圖。

第三十二圖

第三十三圖

回身蹬腳

左足跟復轉向北。身亦隨之。兩手相合。作十字。左腿坐實。右腿蹬出。兩手分開。與翻身蹬腳相同。

雙風貫耳

右足蹬出後旋收回。仍提起。足尖下垂。左足跟轉向東北。兩手相合。手心轉向內。合至右膝處。復往下兩邊分開。手心漸轉向外向前向（東南）。相對圓轉而至前面。兩手握拳相對。拳心向外。兩手合至右膝時。右腿隨腰往下鬆。隨鬆隨轉。向東南邁出。全身坐在右腿。左腿伸直。如第三十四圖。

第三十四圖

左蹬腳

右足跟轉向南。兩手相合。作十字。全身坐在右腿。左腿向東蹬出。與前轉身蹬腳相同。惟此面向南耳。

轉身蹬腳

左腿蹬出後。收回。仍提起。不落下。全身隨右足尖轉向北。左足落地。全身坐在左腿。兩手復相合。作十字。右腿蹬出。與翻身蹬腳相同。右足心朝東

第三十五圖

上步搬攔錘

右足蹬出後。仍收回。足尖下垂。落下。足尖向東南。坐實右腿。左手搬攔。右手打拳。與前皆同。如封似閉十字手抱虎歸山同前。

斜單鞭

由十字手。右手向西北。左手向東南

分開。右足隨右手往西北邁步。此時全身倚坐在左腿。左手往西北擠出按出。與抱虎歸山皆同。惟雙手按出後。左足往南邁。左手亦往南。成單鞭式。斜單鞭與單鞭相同。惟方向向南耳。如第三十五圖。

野馬分鬃

右手隨腰往左。與左手相合。右手在下。手心向上。左手在上。手心向下。全身坐在左腿上。右足提起。往西北邁去。右手隨右足往西北分開在上。左手同時往東南分開在下。右手心仍向上。左手心仍向下。全身坐在右腿。眼神亦向西北。此式與斜飛式相同。惟前手略低耳。如第三十六圖。換式左手隨腰往右。與右手相合。左手在下。右手

第三十六圖

第三十七圖

在上。左手心朝上右手心朝下。左足提起。往西南邁去左手隨左足往西南分開在上。右手同時往東北分開在下眼神亦隨向西南。如第三十七圖此是左右野馬分鬃。或三次或五次。至右分鬃。換下式。

上步攬雀尾

左足向前邁半步。左手隨左足同時向南捧出。右手略向北圓轉。手心轉至向下。又轉至左手處。即成攬雀尾之起式。以下均與攬雀尾相同。單鞭如前。

玉女穿梭

由單鞭式。左足跟轉向南。右足收回。落左足前。足尖向西。左手轉出右脇外。左足向西南邁出。左手心向上。挨著右臂。向上捧。隨捧。手心隨轉向外。而至額上。右手由左手之下。隨腰隨步按出。此式全身坐在左腿。如第三十八圖。

第三十八圖

第三十九圖

左腿坐實。足跟轉向西北。右手轉出左脇外。手心向上。右足提起。向東南邁出。右手心向上。挨著左臂。向上捧。隨捧。手心隨轉向外。而至額上。左手由右手之下。隨腰隨步按出。此式全身坐在右腿。如第三十九圖。

復坐實右腿。進左步。兩手如前。向東北捧出按出。如第四十圖。

復坐實左腿。足跟轉向東南。右足提

第四十圖

第四十一圖

向西北邁步。兩手轉向西北捧出按出。如第四十一圖。

上步攬雀尾單鞭

左足向前進一步。左手向南捧。變爲攬雀尾單鞭。

抎手。如前。或三次。或四次。或五次。

單鞭下勢

單鞭式如前。左手按出後。身隨腰收回。往下坐在右腿上。愈低愈好。低至左腿伸直。身不可太俯。頭仍要有頂

第四十二圖

第四十三圖

勁。左手隨腰略收。轉而向下。至左足腕處。右手仍爲吊手。如第四十二圖。

金雞獨立

全身已坐在右腿。腰向前進。隨進隨提。使全身坐在左腿。左手隨身向上。至與肩齊處。而往下按。右手隨右腿

往前提起。右腿提至膝與腹平。足尖下垂。右手提至肘與右膝相合。手心向北。手尖朝上。與右眉齊。如第四十三圖。

第四十四圖

右足旋向後退半步。使全身坐在右腿。左手隨左足上提。左膝與腹平。足尖下垂。左肘與左膝合。手心向南。手尖朝上。與左眉齊。右手同時而往下按。如第四十四圖。

倒輦猴

右手往下按後。手心向前。往後圓轉。左足同時往後退。使全身坐於左腿。右腿伸直。右手從右耳邊按出。左手亦同時往後圓轉。由左耳邊按出。而右足往後退步。皆如前式。兩手如輪。隨轉隨退。或三次。或五次。或七次。看十八十九兩圖。

斜飛式。提手上勢。白鶴亮翅。海底針。扇通臂。撇身錘。上步攬雀尾。單鞭。抎手。單鞭。高探馬。皆如前。

十字腿

由高探馬坐實左腿。左手由右臂之上穿出手心朝上。右手在左脇下。手心朝下。左足隨左手向東邁去。左手伸出後。隨即屈回向西。手心朝南。右手仍在左脇下。手心朝下。眼神隨向西看。左足尖同時轉向南。仍坐實左腿。如第四十五圖兩手隨即分開。右腿蹬出。

第四十五圖

第四十六圖

摟膝指膛錘

右腿蹬出後落下坐實。左手摟膝。右拳向西向下打出。坐實左腿。如第四十六圖。

上勢攬雀尾。

右拳鬆開與左手右腿同時向上向前。變攬雀尾如前。

單鞭下勢如前

第四十七圖

上步七星

由單鞭下勢。腰身前進。坐實左腿。兩手隨腰往前相交作斜十字形。右足隨向前邁。足尖點地。如第四十七圖。

退步跨虎

右足復向後退。坐實。兩手分開。右手在上。手心朝東。左手在下。手心朝下。

左足卽隨之退回。足尖點地。此式略如白鶴亮翅。惟身略低。兩手更開。如第四十八圖。

轉脚擺蓮

左足提起。右足尖向南向西轉動。全身卽隨之轉一圓規落下。坐實左腿。兩手隨身而轉。隨轉隨合。此時面復向東。右足提起。由左擺右。兩手由右擺左。稍拍足背。如第四十九圖。

第四十八圖

第四十九圖

灣弓射虎

拍後。兩手隨腰隨右足向右向下圓轉。又由下而上轉向東北作射虎勢。右足落下坐實。右拳在額上。左拳伸出。如第五十圖。

上步搬攔錘

由射虎式。右手向下鬆。手心微朝上。左手向右鬆。手心微朝下。兩手心相對。隨腰往左鬆。變爲搬攔錘。與前相同。如封似閉十字手均如前

第五十圖

合太極

由十字手往下按。歸於起勢。爲合太極。如第一圖。以上所列各式。學者循序漸進。每日學之至多不能過二三式。務求規矩悉合。不可貪多。初學之時。每式不能不

斷。至學完後。漸求聯合一氣。以前所列注意十事。均須刻刻體驗習之一二年。後天之力化盡。先天自然之內勁漸長原譜所謂以心行氣。務令沈着。乃能收斂入骨。練習架子以神斂氣沈爲主久之練氣入骨則渾圓綿柔沈重堅剛兼而有之

推手

推手者。所以求其用也。他種拳術。雖亦有二人對手者。然不過十餘式。再多不過數十式耳。而來者其法不一。何能執定法以應之哉太極推手。則有掤攦擠按採挒肘靠八字。此八字所以練其身之圓活二人黏連綿隨周而復始。如渾天之球斡旋不已。而經緯弧直之度。莫不全備。將此一身練爲渾圓之一體。隨屈就伸無不合宜。則物來順應。變化而無窮矣。此所謂萬法歸一。得其一而萬事畢矣。

合步推手

甲乙二人對立甲左足在前。右足在後。乙左足在前。右足在後。此爲合步推手。

甲左足。乙右足。要平行相對。甲右足乙左足。其距離寬窄。則各人長短不同。未能

拘定。總以身體前進後退。得機得勢。毫不覺費力爲度。甲乙各出右手。以手腕背相黏。此謂之掤。如推手第一圖。（先出左手亦然。）甲右手隨腰往回收。以左手腕黏於乙右手之肘處。亦同時往回攦。此謂之攦。如推手第二圖之甲。

第一圖

第二圖

乙被甲攌。則身傾於左方。似不得力。而乙之右手。隨甲攌之方向送去。以左手掌補於右肘灣處。向前擠去。此之謂擠。如二圖之乙。

甲被乙擠。似不得力。卽含胸。以左手心黏乙左手背往左化去。則乙擠不到身上矣。如第三圖之甲。甲之右手。同時按乙右肘處。兩手同時向前按去。此之謂按。如

第三圖

第四圖

第四圖之甲。

乙又被甲按。似不得力。則仍以右手隨腰往回收。以左腕黏甲右肘。往回擺。如四圖之乙。乙擺甲擠。如第五圖。甲擠乙掤。如第六圖。乙按甲又擺。如第七圖。周而復始。循環無端。

第五圖

第六圖

第七圖

掤攌擠按。掤字在前。如元亨利貞之元。仁義禮智之仁。蓋兼乎三德也。蓋擠時須掤。按時攌時亦須掤。掤者。如手捧物之意。如擠按攌時不能掤。則彼力近我身矣。掤者。使兩手臂如圓體之面。使彼力在圓球面上。圓球一動。則其力化去。若不掤則彼力到圓球之心矣。或謂化敵擠時。兩手掤起。謂之掤。亦通。掤攌擠按。二人循環爲之。按時擠時坐前腿。不可太過。膝掤時攌時坐後腿。前進後退。腰如車輪。上下相隨。原論曰。掤攌擠按須認眞。上下相隨人難進。任他巨力來打。我牽動四兩撥千斤也。

換步

換步者。甲坐左腿。進右步。乙坐右腿。退左步。是之謂換步。反之乙進左步。甲退右步亦可。

換手

換手者。甲被乙握時。不補擠而握回。乙即補擠。手即換矣。

順步推手

第八圖

第九圖

順步推手者。甲左足在前。右足在後。乙右足在前。左足在後。謂之順步推手。如第八第九圖。略備形式。手法均與合步推手相同。不必重述。

活步推手

活步推手者。甲乙二人對立。均左足在前。右手相黏。甲攦乙。右步略騰起落下。左步退於右步之後。右步復退於左步之後。乙擠甲。左步略騰起落下。右步進於左步之前。左步復進於右步之前。甲掤乙按。乙擠。乙左步略騰起落下。右步進於左步之前。左步復進於右步之前。乙掤甲攦甲。右步略騰起落下。左步退於右步之後。右步復退於左步之後。乙又掤甲按甲擠甲。步如前。甲甲又掤乙攦乙。步如前。乙二人往來練之。二人或換步。或換手。均可。活步推手。難以圖形表示。其擠按均與順步推手同。惟動步耳。以上推手。無論合步順步。進退步均須時時練習。不可間斷。久之自能懂勁。敵意從何方而來。稍觸即知矣。

大攦

大攦者。採挒肘靠四隅也。二人南北對立。甲向南。乙向北。俱左足在前。甲乙右手腕相黏。乙攦甲肘。乙右步向西南邁去。作騎馬式。右手攏甲腕。左手腕黏甲之肘。與小攦相同。甲左足向東南邁去。須與乙兩足成正三角形。右足即向乙之膪內插進。正對乙之正面。右手往前鬆勁。左手扶於右肘灣內。跟神對乙之面。右肩即靠於乙之胸前。甲即不能立住而跌出矣。

第一圖

第二圖

乙見甲至。即以左膊隨腰往下一沈。甲即不能靠入。以右手向甲面一閃。一閃即捌意。

甲若不變。即被乙捌。或被乙左膊擠出。故甲速以右腕接乙右腕。右足收至左足處。翻身右足往東南邁去。左手擺乙之肘。形勢與乙第一次擺時相同。乙隨進左步。右步向甲膛內插進。靠入。如甲第一次靠相同。甲被乙靠。速以左手採住乙之左手背。速含胸。左足逃出於乙右足之前。乙如不變。甲兩手即可將乙按出。乙速以左手腕黏甲左手腕。右足收至左足處。以右手擺甲左肘。左足向西北邁去。甲速進右步與乙兩足成正三角形。左足向乙膛內插進靠之。乙見甲至。以右膊隨腰往下一沈。甲即不能靠入。以左手向甲面上一閃。甲速以左手腕接乙左手腕。左足收至右足處。翻身。左足往東北邁去。右手擺乙之肘。乙隨進右步。左足向甲膛內插進。靠入。此四隅俱全。若隨擺。或逃腿。或單手閃。均可隨意。如大擺四圖第一圖甲擺乙靠。第二圖甲靠乙捌。第三圖乙靠甲單手採逃腿。第四圖甲靠乙逃腿雙手按。略備形式。甲乙轉換。或以乙爲甲。以甲爲乙均可。其應用之規矩。雖詳細說明。而其巧妙仍非口傳心授不可。

第三圖

第四圖

附圖說明

余著太極拳術一書用楊澄甫先生攝影圖式缺者余爲補之共五十圖閱者尙嫌圖少余去歲赴粵應中山大學之聘請有梁生劲予者欲余攝太極全圖凡轉動之處可攝者均攝出無遺共一百十八式較原圖增多六十八式今將此圖製成銅版付印附於書內閱者參觀附圖更爲明瞭惟複式太多未能重印特編爲詳細目錄連重複者共二百六十一式按目索圖亦不費力余新攝之圖與楊澄甫先生在杭州所攝之圖比較觀之姿式規矩尙未差異是可告于閱者

太極起式假定面向正南轉右則爲正西轉左則爲正東轉後則爲正北或正或隅均以起式向南而推之此圖從首至終均照一定之方向閱者觀圖卽可知其向何方也

凡轉動之處雖未能停止然以便閱者明其轉動之方向形式故于轉動之處亦攝一圖或二圖雖不能如電影片之密合亦可以觀得其大概凡轉動之處必須圓滿不可有凹凸稜角則得之矣

附圖目錄

第一百十二圖　同一百七圖右蹬脚式
第一白十三圖　雙風貫耳式
第一百十四圖　雙風貫耳式
第一百十五圖　轉身合手式
第一百十六圖　左蹬脚式
第一百十七圖　同一百十一圖轉身合手式
第一百十八圖　同一百七圖右蹬脚式
第一百十九圖　同廾九圖進步搬攔錘式
第一百二十圖　同三十圖進步搬攔錘式
第一百廿一圖　同卅一圖如封似閉式
第一百廿二圖　同卅二圖如封似閉式
第一百廿三圖　同卅三圖如封似閉式
第一百廿四圖　同卅四圖十字手轉動式
第一百廿五圖　同卅五圖十字手轉動式

第一百廿六圖　同卅六圖十字手式
第一百廿七圖　同卅七圖抱虎歸山式
第一百廿八圖　同卅八圖抱虎歸山式
第一百廿九圖　同第五圖攬雀尾攦式
第一百卅圖　同第六圖攬雀尾攦式
第一百卅一圖　同第七圖攬雀尾擠式
第一百卅二圖　同第八圖攬雀尾擠式
第一百卅三圖　同第九圖攬雀尾按式
第一百卅四圖　同第十圖攬雀尾按式
第一百卅五圖　同第十一圖單鞭轉動式
第一百卅六圖　同十二圖單鞭轉動式
第一百卅七圖　斜單鞭式
第一百卅八圖　野馬分鬃合手式
第一百卅九圖　右野馬分鬃式

第一百四十圖　野馬分鬃合手式
第一百四十一圖　左野馬分鬃式
第一百四十二圖　野馬分鬃合手式
第一百四十三圖　同一百卅九圖右野馬分鬃式
第一百四十四圖　上步攬雀尾轉動式
第一百四十五圖　上步攬雀尾單手掤式
第一百四十六圖　上步攬雀尾合手式
第一百四十七圖　同第四圖攬雀尾雙手掤式
第一百四十八圖　同第五圖攬雀尾攦式
第一百四十九圖　同第六圖攬雀尾攦式
第一百五十圖　同第七圖攬雀尾擠式
第一百五十一圖　同第八圖攬雀尾擠式
第一百五十二圖　同第九圖攬雀尾按式
第一百五十三圖　同第十圖攬雀尾按式

第一百五十四圖　同十一圖單鞭轉動式
第一百五十五圖　同十二圖單鞭轉動式
第一百五十六圖　同十三圖單鞭式
第一百五十七圖　玉女穿梭合手式
第一百五十八圖　玉女穿梭式
第一百五十九圖　玉女穿梭合手式
第一百六十圖　玉女穿梭式
第一百六十一圖　玉女穿梭合手式
第一百六十二圖　玉女穿梭式
第一百六十三圖　玉女穿梭合手式
第一百六十四圖　玉女穿梭式
第一百六十五圖　同一百四十五圖上步攬雀尾單手掤式
第一百六十六圖　同一百四十六圖上步攬雀尾合手式
第一百六十七圖　同第四圖攬雀尾雙手掤式

第一百六十八圖　同第五圖攬雀尾攦式
第一百六十九圖　同第六圖攬雀尾攦式
第一百七十圖　同第七圖攬雀尾擠式
第一百七十一圖　同第八圖攬雀尾擠式
第一百七十二圖　同第九圖攬雀尾按式
第一百七十三圖　同第十圖攬雀尾按式
第一百七十四圖　同第十一圖單鞭轉動式
第一百七十五圖　同第十二圖單鞭轉動式
第一百七十六圖　同第十三圖單鞭式
第一百七十七圖　同八十四圖抎手式
第一百七十八圖　同八十五圖抎手式
第一百七十九圖　同八十六圖抎手式
第一百八十圖　同八十七圖抎手式
第一百八十一圖　同八十四圖抎手式

第一百八十二圖　同十三圖單鞭式
第一百八十三圖　單鞭下勢式
第一百八十四圖　金雞獨立起式
第一百八十五圖　金雞獨立式
第一百八十六圖　金雞獨立式
第一百八十七圖　同五十一圖倒輦猴式
第一百八十八圖　同五十二圖倒輦猴往後轉動式
第一百八十九圖　同五十三圖倒輦猴式
第一百九十圖　同五十圖倒輦猴往後轉動式
第一百九十一圖　同五十一圖倒輦猴式
第一百九十二圖　同五十六圖斜飛合手式
第一百九十三圖　同五十七圖斜飛式
第一百九十四圖　同十四圖提手式
第一百九十五圖　同十五圖白鶴亮翅合手式

第一百九十六圖　同十六圖白鶴亮翅式
第一百九十七圖　同十七圖摟膝抝步往後轉動式
第一百九十八圖　同十八圖摟膝抝步往前轉動式
第一百九十九圖　同十九圖左摟膝抝步式
第二百圖　同六十四圖海底針式
第二百零一圖　同六十五圖扇通臂式
第二百零二圖　同六十六圖撇身錘式
第二百零三圖　同六十七撇身錘式
第二百零四圖　同六十八圖撇身錘式
第二百零五圖　同六十九圖上步搬攔錘轉動式
第二百零六圖　同七十圖上步搬攔錘轉動式
第二百零七圖　同七十一圖上步搬攔錘式
第二百零八圖　同七十二圖上步搬攔錘式
第二百零九圖　同七十三圖上步攬雀尾合手式

第二百十圖　同四圖攬雀尾雙手掤式
第二百十一圖　同五圖攬雀尾攦式
第二百十二圖　同六圖攬雀尾攦式
第二百十三圖　同七圖攬雀尾擠式
第二百十四圖　同八圖攬雀尾擠式
第二百十五同　同九圖攬雀尾按式
第二百十六圖　同十圖攬雀尾按式
第二百十七圖　同十一圖單鞭轉動式
第二百十八圖　同十二圖單鞭轉動式
第二百十九圖　同十三圖單鞭式
第二百二十圖　同八十四圖抎手式
第二百廿一圖　同八十五圖抎手式
第二百廿二圖　同八十六圖抎手式
第二百廿三圖　同八十七圖抎手式

第二百廿四圖　同八十四圖抎手式

第二百廿五圖　同十三圖單鞭式

第二百廿六圖　同九十圖高探馬式

第二百廿七圖　同九十一圖高探馬式

第二百廿八圖　上步穿手式

第二百廿九圖　十字腿轉身式

第二百三十圖　十字蹬腿式

第二百卅一圖　摟膝指膛錘式

第二百卅二圖　指膛錘式

第二百卅三圖　上步攬雀尾合手式

第二百卅四圖　同第四圖攬雀尾雙手掤式

第二百卅五圖　同第五圖攬雀尾攦式

第二百卅六圖　同六圖攬雀尾攦式

第二百卅七圖　同七圖攬雀尾擠式

第二百卅八圖　同八圖攬雀尾擠式

第二百卅九圖　同九圖攬雀尾按式

第二百四十圖　同十圖攬雀尾按式

第二百四十一圖　同十一圖單鞭轉動式

第二百四十二圖　同十二圖單鞭轉動式

第二百四十三圖　同十三圖單鞭式

第二百四十四圖　同一百八十三圖單鞭下勢式

第二百四十五圖　上步七星式

第二百四十六圖　退步跨虎式

第二百四十七圖　轉脚擺蓮式

第二百四十八圖　轉脚擺蓮式

第二百四十九圖　彎弓射虎轉身式

第二百五十圖　彎弓射虎式

第二百五十一圖　上步搬攔錘轉動式

第二百五十二圖　上步搬攔錘轉動式
第二百五十三圖　同二十九圖進步搬攔錘式
第二百五十四圖　同卅圖進步搬攔錘式
第二百五十五圖　同卅一圖如封似閉式
第二百五十六圖　同卅二圖如封似閉式
第二百五十七圖　同卅三圖如封似閉式
第二百五十八圖　同卅四圖十字手轉動式
第二百五十九圖　同卅五圖十字手轉動式
第二百六十圖　同卅六圖十字手式
第二百六十一圖　同第一圖合太極式

第一圖

太極起式

第二圖

攬雀尾單手掤式

第三圖

攬雀尾合手式

第四圖

攬雀尾雙手掤式

第五圖

攬雀尾攦式

第六圖

攬雀尾攦式

第七圖

攬雀尾擠式

第八圖

攬雀尾擠式

第九圖

攬雀尾按式

第十圖

攬雀尾按式

第十一圖

單鞭轉動式

第十二圖

單鞭轉動式

第十三圖

單鞭式

第十四圖

提手式

第十五圖

白鶴亮翅合手式

第十六圖

白鶴亮翅式

第十七圖

摟膝拗步往後轉動式

第十八圖

摟膝拗步往前轉動式

第十九圖

左摟膝拗步式

第二十圖

手揮琵琶式

第二十二圖

摟膝拗步往後轉動式

第二十三圖

右摟膝拗步式

第二十四圖

摟膝拗步往後轉動式

第二十七圖

進步搬攔錘往左轉動式

第二十八圖

進步搬攔錘往左轉動式

第二十九圖

進步搬攔錘式

第三十圖

進步搬攔錘式

第三十一圖

如封似閉式

第三十二圖

如封似閉式

第三十三圖

如封似閉式

第三十四圖

十字手轉動式

第三十五圖

十字手轉動式

第三十六圖

十字手式

第三十七圖

抱虎歸山式

第三十八圖

抱虎歸山式

第四十七圖

肘下錘轉動式

第四十八圖

肘下錘轉動式

第四十九圖

肘下錘式

第五十圖

倒輦猴往後轉動式

第五十一圖

倒輦猴式

第五十二圖

倒輦猴往後轉動式

第五十三圖

倒輦猴式

第五十六圖

斜飛合手式

第五十七圖

斜飛式

第六十四圖

海底針式

第六十五圖

扇通臂式

第六十六圖

撇身錘式

第六十七圖

撇身錘式

第六十八圖

撇身錘式

第六十九圖

上步搬攔錘轉動式

第七十圖

上步搬攔錘轉動式

第七十一圖

上步搬攔錘式

第七十二圖

上步搬攔錘式

第七十三圖

上步攬雀尾合手式

第八十四圖

抎手式

第八十五圖

抎手式

第八十六圖

抎手式

第八十七圖

抎手式

第九十圖

高探馬式

第九十一圖

高探馬式

第九十二圖

右分脚往右轉動式

第九十三圖

右分脚往左合手式

第九十四圖

右 分 脚 式

第九十五圖

左分脚往左合手式

第九十六圖

左分脚往右合手式

第九十七圖

左分脚式

第九十八圖

轉身蹬脚式

第九十九圖

摟膝拗步式

第一百圖

摟膝拗步式

第一百〇一圖

進步栽錘式

第一百〇二圖

翻身白蛇吐信式

第一百〇三圖

翻身白蛇吐信式

第一百〇四圖

上步搬攔錘式

第一百〇六圖

轉身合手式

第一百〇七圖

右蹬脚式

第一百〇八圖

披身伏虎式

第一百〇九圖

左披身伏虎式

第一百十圖

右披身伏虎式

第一百十一圖

轉身合手式

第一百十三圖

雙風貫耳式

第一百十四圖

雙風貫耳式

第一百十五圖

轉身合手式

第一百十六圖

左蹬脚式

第一百三十七圖

斜單鞭式

第一百三十八圖

野馬分鬃合手式

第一百三十九圖

右野馬分鬃式

第一百四十圖

野馬分鬃合手式

第一百四十一圖

左野馬分鬃式

第一百四十二圖

野馬分鬃合手式

第一百四十四圖

上步攬雀尾轉動式

第一百四十五圖

上步攬雀尾單手掤式

第一百四十六圖

上步攬雀尾合手式

第一百五十七圖

玉女穿梭合手式

第一百五十八圖

玉女穿梭式

第一百五十九圖

玉女穿梭合手式

第一百六十圖

玉女穿梭式

第一百六十一圖

玉女穿梭合手式

第一百六十二圖

玉女穿梭式

第一百六十三圖

玉女穿梭合手式

第一百六十四圖

玉女穿梭式

第一百八十三圖

單鞭下勢式

第一百八十四圖

金雞獨立起式

第一百八十五圖

金雞獨立式

第一百八十六圖

金鷄獨立式

第二百二十八圖

上步穿手式

第二百二十九圖

十字腿轉身式

第二百三十圖

十字蹬腿式

第二百三十一圖

摟膝指襠錘式

第二百三十二圖

指膛錘式

第二百三十三圖

上勢攬雀尾合手式

第二百四十五圖

上步七星式

第二百四十六圖

退步跨虎式

第二百四十七圖

轉脚擺蓮式

第二百四十八圖

轉脚擺蓮式

第二百四十九圖

彎弓射虎轉身式

第二百五十圖

彎弓射虎式

第二百五十一圖

上步搬攔錘轉動式

第二百五十二圖

上步搬攔錘轉動式

太極拳論

陳微明注

一舉動。週身俱要輕靈。

不用後天之拙力。則週身自然輕靈。

尤須貫串。

貫串者。綿綿不斷之謂也。不貫串則斷。斷則人乘虛而入。

氣宜鼓盪。神宜內斂。

氣鼓盪則無間。神內斂則不亂。

無使有凸凹處。無使有斷續處。

有凹處。有凸處。有斷時。有續時。此皆未能圓滿也。凹凸之處。易爲人所制。斷續之時。易爲人所乘。皆致敗之由也。

其根在腳。發於腿。主宰於腰。形於手指。由腳而腿而腰。總須完整一氣。向前退後。乃得機得勢。

莊子曰。至人之息以踵。太極拳術。呼吸深長。上可至頂。下可至踵。故變動其根在脚。由脚而上至腿。由腿而上至腰。由腰而上至手指。完整一氣。故太極以手指放人。而跌出者。並非僅手指之力。其力乃發於足跟。而人不知也。上手下足中腰。無處不相應。自然能得機得勢。

有不得機得勢處。身便散亂。其病必於腰腿求之。

不得機。不得勢。必是手動而腰腿不動。腰腿不動。手愈有力。而身愈散亂。故有不得力處。必留心動腰腿也。

上下前後左右皆然。凡此皆是意。不在外面。有上即有下。有前即有後。有左即有右。

欲上欲下。欲前欲後。欲左欲右。皆須動腰腿。然後能如意。雖動腰腿。而內中有知己知彼。隨機應變之意。在若無意。雖動腰腿。亦亂動而已。

如意要向上。即寓下意。若將物掀起而加以挫之之力。斯其根自斷。乃壞之速而無疑。

此言與人交手時之隨機應變。反復無端。令人不測。使彼顧此而不能顧彼。自然散亂。散亂則吾可以發勁矣。

虛實宜分清楚。一處自有一處虛實。處處總此一虛實。週身節節貫串。無令絲毫間斷耳。

練架子要分清虛實。與人交手。亦須分清虛實。此虛實雖要分清。然全視來者之意而定。彼實我虛。彼虛我實。實者忽變而爲虛。虛者忽變而爲實。彼不知我。我能知彼。則無不勝矣。週身節節貫串。節節二字。以言其能虛空粉碎。能虛空粉碎。則處處不相牽連。故彼不能使我牽動。而我穩如泰山矣。雖虛空粉碎。不相牽連。而運用之時。又能節節貫串。非不相顧。如常山之蛇。擊首則尾應。擊尾則首應。擊其背則首尾俱應。夫然後可謂之輕靈矣。譬如以千斤之鐵棍。非不重也。然有巨力者。可持之而起。以百斤之鐵練。雖有巨力者。不能持之而起。以其分爲若干節也。雖分爲若干節。而仍是貫串。練太極拳。亦猶此意耳。長拳者。如長江大海。滔滔不絕也。

太極拳亦名長拳。楊氏所傳有太極拳。更有長拳。名目稍異。其意相同，十三勢者。掤攦擠按採挒肘靠。此八卦也。進步退步右顧左盼中定。此五行也。掤攦擠按即坎離震兌四正方也。採挒肘靠。即乾坤艮巽四斜角也。進退顧盼定。即金木水火土也。

太極拳各式。及掤攦擠按已見前。

原書注云。以上係武當山張三丰祖師所著。欲天下豪傑延年益壽。不徒作技藝之末也。

太極者。無極而生。陰陽之母也。

陰陽生於太極。太極本無極。太極拳。處處分虛實陰陽。故名曰太極也。

動之則分。靜之則合。

我身不動。渾然一太極。如稍動。則陰陽分焉。

無過不及。隨屈就伸。

此言與人相接相黏之時。隨彼之動而動。彼屈則我伸。彼伸則我屈。與之密合。不丟不頂。不使有稍過及不及之弊。

人剛我柔謂之走。我順人背謂之黏。

人剛我剛。則兩相抵抗。人剛我柔。則不相妨礙。不妨礙則走化矣。既走化。彼之力失其中則背矣。我之勢得其中。則順矣。以順黏背。則彼雖有力而不得力矣。

動急則急應。動緩則緩隨。雖變化萬端。而理惟一貫。

我之緩急。隨彼之緩急。不自爲緩急。則自然能黏連不斷。然非兩臂鬆淨。不使有絲毫之拙力。不能相隨之如是巧合。若兩臂有力。則喜自作主張。不能捨己從人矣。動之方向緩急不同。故曰變化萬端。雖不同而吾之黏隨其理則一也。

由着熟而漸悟懂勁。由懂勁而階及神明。然非用力之久。不能豁然貫通焉。

着熟者習拳以練體。推手以應用。用力既久。自然懂勁。而神明矣。

虛靈頂勁。氣沉丹田。不偏不倚。忽隱忽現。

無論練架子及推手。皆須有虛靈頂勁。氣沉丹田之意。不偏不倚者。立身中正。不偏倚也。忽隱忽現者。虛實無定。變化不測也。

左重則左虛。右重則右杳。

此二句。即解釋忽隱忽現之意。與彼黏手。覺左邊重。則吾之左邊。與彼相黏處。即變爲虛。右邊亦然。杳者。不可捉摸之意。與彼相黏。隨其意而化之。不可稍有抵抗。使之處處落空。而無可如何。

仰之則彌高。俯之則彌深。進之則愈長。退之則愈促。

彼仰則覺我彌高。如捫天而難攀。彼俯則覺我彌深。如臨淵而恐陷。彼進則覺我愈長而不可及。彼退則覺我愈偪而不可逃。皆言我之能黏隨不丟。使彼不得力也。

一羽不能加。蠅蟲不能落。人不知我。我獨知人。英雄所向無敵。蓋由此而及也。羽不能加。蠅不能落。形容不頂之意。技之精者。方能如此。蓋其感覺靈敏。已到極處。稍觸卽知。能工夫至此。舉動輕靈。自然人不知我。我獨知人。

斯技旁門甚多。雖勢有區別。概不外壯欺弱。慢讓快耳。有力打無力。手慢讓手快。是皆先天自然之能。非關學力而有爲也。

以上言外家拳術。派別甚多。不外以力以快勝人。以力以快勝人。若更遇力過我快過我者。則敗矣。是皆充其自然之能。非有巧妙。如太極拳術之不恃力不恃快而能勝人也。

察四兩撥千斤之句。顯非力勝。觀耄耋能禦衆之形。快何能爲。

太極拳之巧妙。在以四兩撥千斤。彼雖有千斤之力。而我順彼背。則千斤亦無用矣。彼之快乃自動也。若遇精於太極拳術者。以手黏之。彼欲動且不能。何能快乎。

立如平準。活似車輪。

立能如平準者。有虛靈頂勁也。活似車輪者。以腰爲主宰。無處不隨腰運動圓轉也。

偏沈則隨。雙重則滯。

何謂偏沈則隨。雙重則滯。譬兩處與彼相黏。其力平均。彼此之力相遇。則相抵抗。是謂雙重。雙重則二人相持不下。仍力大者勝焉。兩處之力平均。若鬆一處。是謂偏沈。我若能偏沈。則彼雖有力者。亦不得力。而我可以走化矣。

每見數年純功。不能運化者。率自爲人制。雙重之病未悟耳。

有數年之純功。若尚有雙重之病。則不免有時爲人所制。不能立時運化。

若欲避此病。須知陰陽。黏卽是走。走卽是黏。陰不離陽。陽不離陰。陰陽相濟。方爲懂勁。

若欲避雙重之病。須知陰陽。陰陽卽虛實也。稍覺雙重。卽速偏沈。虛處爲陰。實處爲陽。雖分陰陽。而仍黏連不脫。故能黏能走。陰不離陽。陽不離陰者。彼實我虛。彼虛我又變爲實。故陰變爲陽。陽變爲陰。陰陽相濟。本無定形。皆視彼方之意而變耳。如能隨彼之意而虛實應付。毫釐不爽。是眞可謂之懂勁矣。

懂勁後。愈練愈精。默識揣摩。漸至從心所欲。

懂勁之後。可謂入門矣。然不可間斷。必須日日練習。處處揣摩。如有所悟。默識於心。心動則身隨。無不如意。技日精矣。

本是捨己從人。多悞舍近求遠。

太極拳不自作主張。處處從人。彼之動作。必有一方向。則吾隨其方向而去。不稍抵抗。故彼落空。或跌出。皆彼用力太過也。如有一定手法。不知隨彼。是謂捨近而求遠矣。

斯謂差之毫釐。謬以千里。學者不可不詳辨焉。

太極拳與人黏連。卽在黏連密切之處而應付之。所謂不差毫釐也。稍離則遠。

失其機矣。

此論句句切要。並無一字敷衍陪襯。非有夙慧。不能悟也。先師不肯妄傳。非獨擇人。亦恐枉費工夫耳。

太極拳之精微奧妙。皆不出此論。非有夙慧之人。不能領悟。可見此術不可以技藝視之也。

十三勢歌

十三總勢莫輕視。命意源頭在腰隙。變轉虛實須留意。氣遍身軀不少滯。靜中觸動動猶靜。因敵變化示神奇。勢勢揆心須用意。得來不覺費工夫。刻刻留心在腰間。腹內鬆淨氣騰然。尾閭中正神貫頂。滿身輕利頂頭懸。仔細留心向推求。屈伸開合聽自由。入門引路須口授。工夫無息法自休。若言體用何爲準。意氣君來骨肉臣。想推用意終何在。益壽延年不老春。歌兮歌兮百卌字。字字眞切義無遺。若不向此推求去。枉費工夫貽歎息。

十三勢歌之意。前已講明。故不復注解。

十三勢行功心解

以心行氣。務令沈着。乃能收斂入骨。以氣運身。務令順遂。乃能便利從心。

以心行氣者。所謂意到氣亦到。意要沈着。則氣可收斂入骨。並非格外運氣也。氣收斂入骨。工夫既久。則骨日沈重。內勁長矣。以氣運身者。所謂氣動身亦動。氣要順遂。則身能便利從心。故變動往來。無不從心所欲。毫無阻滯之處矣。

精神能提得起。則無遲重之虞。所謂頂頭懸也。

有虛靈頂勁。則精神自然提得起。精神提起。則身體自然輕靈。觀此可知捨精神而用拙力者。身體必爲力所驅使。不能轉動如意矣。

意氣須換得靈。乃有圓活之妙。所謂變轉虛實也。

與敵相黏。須隨機換意。仍不外虛實分得清楚。則自然有圓活之妙。

發勁須沈着鬆淨。專主一方。

發勁之時。必須全身鬆淨。不鬆淨則不能沈着。沈着鬆淨。自然能放得遠。專主一方。者隨彼動之方向而直去也。隨敵之勢。如欲打高。眼神上望。如欲打低。眼神下望。如欲打遠。眼神遠望。神至則氣到。全不在用力也。

立身須中正安舒。撐支八面。

頂頭懸則自然中正。鬆淨則自然安舒。穩如泰山。則自然能撐支八面。

行氣如九曲珠。無微不到。

九曲珠。言其圓活也。四肢百體。無處不有圓珠。無處不是太極圈子。故力未有不能化也。

運勁如百練鋼。何堅不摧。

太極雖不用力。而其增長內勁。可無窮盡。其勁如百練之鋼。無堅不摧。

形如搏兎之鶻。神如捕鼠之貓。

搏兎之鶻。盤旋不定。捕鼠之貓。待機而動。

靜如山岳。動若江河。

靜如山岳。言其沈重不浮。動若江河。言其周流不息。

蓄勁如張弓。發勁如放箭。

蓄勁如張弓。以言其滿。發勁如放箭。以言其速。

曲中求直。蓄而後發。

曲是化人之勁。勁已化去。必向彼身求一直綫。勁可發矣。

力由脊發。步隨身換。

含胸拔背。以蓄其勢。發勁之時。力由背脊而出。非徒兩手之勁也。身動步隨。轉換無定。

收即是放。放卽是收。斷而復連。

黏化打雖是三意。而不能分開。收卽黏化。放是打。放人之時。勁似稍斷。而意仍不斷。

往復須有摺疊。進退須有轉換。

摺疊者。亦變虛實也。其所變之虛實。最爲微細。太極截勁。往往用摺疊。外面看似未動。而其內已有摺疊。進退必變換步法。雖退仍是進也。

極柔軟。然後極堅剛。能呼吸。然後能靈活。

老子曰。天下之至柔。馳騁天下之至堅。其至柔者。乃至剛也。吸爲提。爲收。呼爲沈。爲放。此呼吸乃先天之呼吸。與後天之呼吸相反。故能提得人起。放得人出。

氣以直養而無害。勁以曲蓄而有餘。

孟子曰。吾善養吾浩然之氣。至大至剛。以直養而無害。則塞乎天地之間。太極拳蓋養先天之氣。非運後天之氣也。運氣之功。流弊甚大。養氣則順乎自然。日習之養之而不覺。數十年後。積虛成實。至大至剛。至用之時。則曲蓄其勁。以待發。既發則沛然莫之能禦也。

心爲令。氣爲旗。腰爲纛。

心爲主帥以發令。氣則爲表示其令之旗。以腰爲纛。則旗中正不偏。無致敗之道也。

先求開展。後求緊湊。乃可臻於縝密矣。

無論練架子及推手。皆須先求開展。開展則腰腿皆動。無微不到。至功夫純熟。再求緊湊。由大圈而歸於小圈。由小圈而歸於無圈。所謂放之則彌六合。卷之則退藏於密也。

又曰。先在心。後在身。腹鬆淨。氣斂入骨。神舒體靜。刻刻在心。

太極以心意爲本。身體爲末。所謂意氣君來骨肉臣也。腹鬆淨。不存絲毫後天之拙力。則氣自斂入骨。氣斂入骨。其剛可知。神要安舒。體要靜逸。能安舒靜逸。則應變整暇。決不慌亂。

切記一動無有不動。一靜無有不靜。

內外相合。上下相連。故能如此。

牽動往來。氣貼背。歛入脊骨。內固精神。外示安逸。

此言與人比手之時。牽動往來。須涵胸拔背。使氣貼之於背。歛於脊骨。以待機會。機至則發。能氣貼於背。歛於脊骨。則能力由脊發。不然仍手足之勁耳。神固體逸。則不散亂。

邁步如猫行。運勁如抽絲。

此仍形容綿綿不斷。待機而發之意。

全身意在精神。不在氣。在氣則滯。有氣者無力。無氣者純剛。

太極純以神行。不尙氣力。此氣言後天之氣力也。蓋養氣之氣。爲先天之氣。運氣之氣。爲後天之氣。後天之氣有盡。先天之氣無窮。

氣如車輪。腰似車軸。

氣爲旗。腰爲纛。此言其靜也。氣如車輪。腰似車軸。此言其動也。腰爲一身之樞紐。腰動則先天之氣。如車輪之旋轉。所謂氣遍身軀不少滯也。

打手歌 按打手即推手也

掤攦擠按須認眞。上下相隨人難進。任他巨力來打我。牽動四兩撥千斤。引進落空合即出。粘連綿隨不丢頂。

認眞者。掤攦擠按四字。皆須按照師傳規矩。絲毫不錯。日日打手。功久自然能上下相隨。一動無有不動。雖巨力來打。稍稍牽動。則我之四兩。可撥彼之千斤。彼力既巨。必長而直。當其用力之時。不能變動方向。我隨彼之方向而引進。則彼落空矣。然必須粘連綿隨。不丢不頂。方能引進落空。四兩撥千斤也。

又曰。彼不動。已不動。彼微動。已先動。似鬆非鬆。將展未展。勁斷意不斷。

打手之時。彼不動。則我亦不動。以靜待之。彼若微動。其動必有一方向。我意在彼之先。隨其方向而先動。則彼必跌出矣。似鬆非鬆。將展未展。皆言聽彼之勁。蓄勢待機。機到則放。放時勁似斷而意仍不斷也。

以上相傳爲王宗岳先生所著。太極拳之精微奥妙。已包蘊無餘。就管見所及。

略加注解。然仁者見仁。智者見智。功夫愈深者。讀之愈得其精妙。深願繼起者。發揮而光大之焉。

太極合老說

老子曰常無欲以觀其妙。常有欲以觀其徼。與之黏隨。觀其化之妙。忽然機發。是謂觀其徼。

老子曰有無相生。前後相隨。是謂左重則左虛。右重則右杳。進之則愈長。退之則愈促。

老子曰天地之間。其猶橐籥乎。虛而不屈。動而愈出。故太極無法。動即是法。

老子曰綿綿若存。用之不勤。綿綿若存者。內固精神。用之不勤者。外示安逸。

老子曰後其身而身先。外其身而身存。後其身而身先者。彼不動。己不動。彼微動己先動也。外其身而身存者。由己則滯。從人則活也。

老子曰上善若水。居善地。心善淵。事善能。動善時。夫惟不爭。故無尤。居善地者。得機得勢。心善淵者。斂氣斂神。事善能者。隨轉隨接。動善時者。不後不先。太極之無敵。惟不爭耳。

老子曰抱一。能無離乎。專氣致柔。能嬰兒乎。是謂極柔而至剛。萬法而歸一。

老子曰曲則全。枉則直。是謂曲中求直。蓄而後發。

老子曰將欲歙之。必固張之。將欲弱之。必固强之。將欲奪之。必固與之。是謂微明。

太極黏連綿隨。不與之抗。彼張我歙。彼强我弱。彼奪我與。然後能張。能强。能奪。

老子曰反者道之動。故有上必有下。有前必有後。有左必有右。

老子曰天下之至柔。馳騁天下之至堅。無有入於無間。又曰不爭而善勝。不召而自來。是謂引進落空。四兩撥千斤也。

校正表

第一二頁第六第七行將足跟轉動使足尖向南
第一五頁第六行左足跟轉動使足尖向東北
第一六頁第二行又變右摟膝拗步手揮琵琶式　第九行右腿同時提起前進一步
第二八頁第五行右手同時隨腰平轉一小圓規卽由腰間向下打出
第三〇頁第五行兩手仍握拳隨腰右轉　第八第九行右足同時提起邁步隨腰轉向東南
第三五頁第四行此式全身坐在左腿下加面向西南隅一句　第五行足跟轉向西北下加使足尖漸轉向正東一句　第十行全身坐在右腿下加面向東南隅一句　第十二行捧出按出下加面向東北隅一句　第十五行按出下加面向西北隅一句
第四〇頁第二行落下坐實足尖向西北右手下鬆隨腰隨右腿轉一圓規轉至腰際握拳左手摟膝左足前進右拳向前向下打出　第八行兩手隨腰往前握拳相交

定價大洋二元

著者 陳微明

發行者 致柔拳社

印刷者 中華書局

代售處 大馬路華德鐘表行 棋盤街啟新書局 及各大書坊

太極拳術

乙丑夏五孝胥

(封面) 太极拳术

乙丑夏五 孝胥[①] 钤“郑”印章

注 释

① 孝胥：郑孝胥（1860—1938 年），字苏堪，号海藏，闽侯（今福州）人。晚清政治家，早期曾参与了戊戌变法。立宪时期，参与创建上海商务印书馆、上海储蓄银行，推动新式教育，并受岑春煊派遣，出任预备立宪公会会长。辛亥革命后，以遗老自居。在溥仪被赶出紫禁城后，他致力于溥仪的复辟，积极筹划满洲国的建国，出任满洲国总理兼文教总长，暴卒于长春。其于法帖颇多造诣，书法工楷隶，尤善楷书，取径欧阳询及苏轼，得力于北魏碑。诗坛“同光体”得力干将，辞多苍劲朴茂，汪辟疆著《光宣诗坛点将录》，将其比作“天罡星玉麒麟卢俊义”，拔得第二把交椅，颇得溢美之词。

（题签）慎先姻世兄[①] 詧书[②]

武当嫡派

八十三叟冯煦[③] 钤“冯煦臣印”

注释

① 姻世兄：古人称谓，有婚姻关系而结谊者，加“姻”字，如姻伯，姻兄。有与父祖辈世交而结谊者，加“世”字，如世伯，世兄。既有婚姻关系，又兼父祖辈交情的，加“姻世”二字，如姻世伯，姻世兄。姻世兄，盖指对有姻亲关系的小辈人的尊称。

② 詧书：詧，察也。察书，校正勘定所书写的文字。把自己的书画等送人时，表示请对方指教的敬谦语成语。

③ 冯煦（1842—1927 年）：字梦华，号蒿庵，金坛五叶人。光绪八年（1882 年）中举人，光绪十二年（1886 年）中丙戌科赵以炯榜进士第三名（探花），授翰林院编修，历任四川按察使、布政使，安徽按察使、布政使、巡抚。与鹿传霖、张之洞结仇，罢官后寓居上海，自号蒿隐公，以遗老自居，总纂《江南通志》，著有《蒿庵类稿》。其书法师宗钟繇、虞世南、孙过庭。风格醇朴遒劲，神采烨然。

老子曰："专气致柔，能婴儿乎?"[1] 庄子曰："得其环中，以应无穷。"[2] 解此，可以读是编矣。

乙丑五月 陈三立[3] 题记 钤"散原"印

注释

① 专气致柔，能婴儿乎：语出《道德经》第十章。结聚精气，使身体柔顺，就能像婴儿一样。专气者，绵绵若存，用之不勤，服气延命之道也。道家认为，凡物之有生机者必柔。婴儿肌理柔软，生机盎然，迨至老年，肌理日硬。处世之道亦然。舌以柔存，齿以坚折，君子处世，宜柔不宜刚。

② 得其环中，以应无穷：典出《庄子·齐物论》："物无非彼，物无非是……枢始得其环中，以应无穷。"道家从《老子》的"天地之间，其犹橐龠乎？虚而不屈，动而俞出。多言数穷，不如守中"，到《庄子》的"是亦彼也，彼亦是也……枢始得其环中，以应无穷"，侧重的是"守中"。

③ 陈三立（1853—1937 年）：字伯严，号散原，江西义宁人，诗人。晚清维新派名臣陈宝箴长子，国学大师陈寅恪之父。光绪十五年（1886 年）进士，散馆编修、吏部主事。曾与黄遵宪创办湖南时务学堂，深受张之洞器重。参加文廷式等所组织的强学会。戊戌政变时，以"招引奸邪"之罪被革职不用，丧父后，更无心于仕途，于金陵青溪畔构屋十楹，号"散原精舍"。常与友人以诗、古文辞相遣，自谓"凭栏一片风云气，来做神州袖手人"。郑孝胥扶助溥仪建立伪满政权，三立痛骂郑"背叛中华，自图功利"。在再版《散原精舍诗》时，愤然删去郑序，与之断交。三立为诗，初学韩愈，后师山谷，自成"生涩奥衍"一派，为同光体诗派领袖。梁启超在《饮冰室诗话》中评曰："其诗不用新异之语，而境界自与时流异，醇深俊微，

吾谓于唐宋人集中，罕见其比。”汪辟疆在《光宣诗坛点将录》中推其为“及时雨宋江”。

大道以虚为本，以因为用。无成势，无常形，故能究人之情。不为物先，故常为主。有法无法，因时为业。有度无度，因人与合。故曰：其道不朽，时变是守。[①] 观是书，知太极拳术之体用与道合矣。

潜道人[②]题

注释

① 大道以虚为本……时变是守：从《史记》卷一百三十之太史公自序第七十中，司马迁的父亲司马谈“论六家要旨”一节文字中化出。原文如下：“道家无为，又曰无不为，其实易行，其辞难知。其术以虚无为本，以因循为用。无成埶，无常形，故能究万物之情。不为物先，不为物后，故能为万物主。有法无法，因时为业；有度无度，因物与合。故曰‘圣人不朽，时变是守。虚者道之常也，因者君之纲’也。”埶，音 shì，古通“势”。

二水按：道家“以虚无为本”，意在破除个体的价值评判标准，而还原到道体的本来面目。“以因循为用”，旨在抛却个体的习惯性行为方式，而去顺应道体的自然规律。个体一旦破除了先入为主的价值标准，一旦抛却了习以为常的行为方式，世事万物就没有了一成不变的格局，没有了一设不更的形态，因此就能探究万物自然的情势。对世事万物情势的把握，在空间上不至于抢先，在时间上也不至于落后，所以能得机得势，掌控世事万物，成为万物的主宰。不拘泥于固有的理论或方法，而是因地制宜，来解决具体问题。不局限惯常的尺寸法度，而是根据事物阴阳消长的规律，因势利导，才能适应世事万物的变化。因此鬼谷子说：“圣人不朽，时变是守。”太极拳主张“物来顺应”“应物自然”“物将掀起，而加以挫之之力”，都是一依“大道以虚为本”的宗旨。

② 潜道人：王潜（1861—1933 年）字聘三，又名乃徵，晚号潜道人，光绪进士，四川中江人。由翰林官御史，出守江西抚州，居官三年。不名一钱，以是歌颂载道，诸疆吏交章荐其贤，遂以道员存记。载沣摄政，以素器其人，立擢为湖南岳常沣道，再擢江西按察使，未之官，三擢顺天府府尹，出为湖南布政使，其时，陈夔龙调北洋，继调湖北，抵任未一月，护湖广总督。时未及一年，进阶之速，清季一人而已。总督瑞澄抵任，与之政见不合，乃移任贵州布政。辛亥革命后，寓居海上，自称“潜道人”，鬻医自活。

连环可解[1]
肯綮未尝[2]

朱孝臧[3]题 钤“彊邨”印

注 释

① 连环可解：《庄子·天下篇》记惠施历物之意曰：“至大无外，谓之大一；至小无内，谓之小一……南方无穷而有穷，今日适越而昔来，连环可解也。”破解“连环可解”，成了解读惠施思想最为重要的环节。历来诸家都有不同的解读。王夫之曾说：“今其书既亡，其言无本之可循，故多不可解。”借此言赞微明先生此书，能破解常人无法窥探的奥秘。

② 肯綮未尝：语出《庄子·养生主》：“技经肯綮之未尝，而况大軱乎”句。“技经肯綮”指的是牛躯体内小骨头的结合处，以及骨头、肌腱、神经末梢等与肌肉的关联处。庖丁解牛，运刀时，以无厚入有间，刀刃游离在牛骨头、肌腱、神经末梢等与肌肉的缝隙之间，连小骨头的结合处，以及骨头、肌腱、神经末梢等与肌肉的关联处都不曾碰到，何况是牛身上大骨头

呢。借此言赞微明先生此书，条分缕析，细致入微，丝毫无爽。

③ 朱孝臧（1857—1931 年）：又名祖谋，字古微，号彊村，浙江归安（今湖州）人。光绪九年（1883 年）进士，历官会典馆总纂总校、侍讲学士、礼部侍郎、兼署吏部侍郎。因病假归寓公，寓居上海，以词诗书画自娱。以遗老终。始以能诗名，后专工词藻，蝉究音律，近代词坛奉为宗匠。王国维《人间词话》则称其"学梦窗而情味较梦窗为胜"。

从其彊梁，随其曲传。[①]

因以曼衍，和以天倪。[②]

乙丑大暑胡嗣瑗[③]题 钤"臣胡嗣瑗"印

注释

① 从其彊梁，随其曲传：语出《庄子·山木篇》："来者勿禁，往者勿止，从其彊梁，随其曲传，因其自穷"。彊梁，也作强梁，或强良。此指强横不顺从者。从者，纵也，放任。北宫奢替卫灵公捐建钟，很快就完工了，王子庆忌问他用什么妙法，北宫奢说，我一切听凭自然法则，保持一种淳真无心的状态，不辨别优劣，不分辨良莠，不刻意去迎来送往，愿意来的，也不禁止他来，不愿意去的，也不反对他。强横不愿意捐献的，也由他去，说话无准无系的，也顺着他，他想捐就捐，不想捐，也随他便。一切都是根据捐助者自己的能力和性情。

② 因以曼衍，和以天倪：语出《庄子·齐物论》："化声之相待，若其不相待，和之以天倪，因之以曼衍，所以穷年也。"曼衍，散漫流衍，不拒常规。天倪，指的是自然的分际。王安石有诗："关外寻君信马蹄，谩成诗句任天倪。"声音的变化，其实应和了阴阳消长的规律，只是不是刻意去迎

合阴阳之数的变化，就像是天地之间，自然的分际一样，看上去散漫流衍，没有规律可循，其实一切都已包涵在无穷无境的大道之中，无须去辩驳。

③ 胡嗣瑗（1869—1949 年）：字晴初，亦字琴初，别号自玉。贵州贵阳人。光绪二十九年（1903 年）进士。精通史学，擅长诗词、书法。历任翰林院编修、天津北洋法政学堂总办，曾充任直隶总督陈夔龙的幕僚。辛亥革命前后任江苏金陵道尹、江苏将军府咨议厅长。民国初年因文名被冯国璋聘为督军公署秘书长，继而随冯赴江苏都督任。1917 年参与张勋复辟，出任内阁左丞。后随溥仪到东北任职终老。

赠微明

世乳知契少[①]　索居忽三秋[②]

再见岂是梦　剧谈[③]时忘忧

讱言[④]难谐俗　啬己[⑤]能远羞

书法思白笔　文澜震川[⑥]流

负米走燕赵[⑦]　未老发白头

人海百年身　与君共夷犹[⑧]

注 释

① 世乳知契少：两家世交，又同受业于汉阳关季华先生，互相了解，志趣相投。微明先生《谢复园文集序》称："强甫（嘉兴朱克柔）才高气傲，慷慨论天下事，旁若无人，而复园则谦谦自守，不为表襮，而于出处进退之节，虽贫穷困极，而不肯以苟。贞介峻特，遁世无闷，萧然以文字自娱。"

② 索居忽三秋：索居，散处一方。三年之后，即光绪壬寅年（1902

年），湖北举行庚子辛丑并科乡试，谢复园从汉川罗田来郡城武汉，住在微明先生家中，作为状元陈沆的曾孙微明先生昆仲三人曾寿、曾则、曾矩埙篪竞爽，同掇巍科，谢复园也同科中举。

二水按：据微明先生《赠谢复园先生诗序》云："谢复园兄年晋七十，余欲作文以寿至，而复园归自普陀，出文以示余，盖赠余之文也。余少复园二十年，其意岂敢当者"，复园先生虽与微明先生同学，又是同年中举，其实比微明先生年长了 20 岁。

③ 剧谈：畅谈。微明先生《赠谢复园先生诗序》云："光绪壬寅与复园同举于乡，复园从汉川来郡城，居余家，日据案写殿试卷，以第一人自许，余也不肯让之。每争论大笑。日暮相携登城远眺，飘飘有凌云遗世独立之想。"

④ 讱言：慎言。

⑤ 啬己：克制自己。

⑥ 震川：归有光（1902—1571 年），字熙甫，别号震川，又号项脊生，世称"震川先生"。著名文学家。此节赞微明先生的文风有归有光的风韵。

⑦ 负米走燕赵：会试后，复园与微明先生皆未能中进士。微明先生为了养家糊口，1904 年赴京城，担任五城学堂教师；后又于 1912 年充任北京日知报馆润笔；1915 年担任清史稿编修；1920 年充任严氏家教；1925 年担任溥益公司文牍等职。而复园则受知于张之洞。张之洞阅其课卷，称"文如水，人如玉"，以保送考试，之后去贵州当了知县。不久，因辛亥革命，二十年来，颠沛流离。

⑧ 夷犹：生活从容不拮据。唐寅《与文徵明书》云："寒暑代迁，裘葛可继，饱则夷犹，饥乃乞食。"

学书兼学剑　日演龙虎势
手挥金刚拳　心会太极意

直体同射德[1]　通变达易义[2]
捺[3]柔以制刚　所投无不利
末世多强梁[4]　捍国赖利器[5]
扶阳斯抑阴[6]　愿君竟其志

注释

① 直体同射德：身躯直立，像是射箭时的身法要求。
② 通变达易义：通权达变，像是合乎参伍以变，错综其数的易理。
③ 捺：同“操”。
④ 末世多强梁：朝代的末期，时局动荡，事态多强横凌弱。
⑤ 捍国赖利器：太极拳正好能充当捍卫国家的利器。
⑥ 扶阳斯抑阴：倡导社会正能量，抑制负能量。

我老不足畏　君胡不我弃
竭来[1]共晨夕　覼缕[2]忧患事
絮语遣昼长　联床禁夜睡[3]
远游不忘亲[4]　投笔苦无地[5]
时复劳筋骨　岂惟调血气[6]
天涯梦魂中　君家几昆季[7]

注释

① 竭来：助词。意思是说，下次来的时候。
② 覼缕：细述。

③ 联床禁夜睡：此节言复园曾于1917年秋旅居杭州一月，下榻微明先生在杭州西湖之洗心阁，联床夜谈事。微明先生《莫干山海云楼祭复园兄》云："连床洗心阁，雷峰耸浮屠，湖山美如画，俯窗采莲菰，谈心清夜月，醇醨畅顷壶。"苍虬也有《洗心阁中菊花开时复园来住一月将别为诗四首》等诗作存世。

④ 远游不忘亲：此节复园讲述自己的身世遭遇。微明先生《祭谢石钦先生文》云："兄之生平，安贫守道，不苟和光而同尘，每崖岸以自持。昔伯母在堂，不肯远游，设帐授读，薄修以养亲。"

⑤ 投笔苦无地：述说作者想投笔从戎，而报国无门。微明先生《朱强甫文集序》云："强甫主《正学报》于鄂，时时招邀谢君石钦来会，余兄弟亦时至其室。强甫每沽酒，以待剧饮大醉，沉酣淋漓，同驰马于白沙洲堤，半日往返，飘忽数十百里，何其壮也。"

⑥ 时复劳筋骨，岂惟调血气：指复园先生自己以导引以养生。微明先生《谢复园文集序》称："晚年尤喜寂静，习道家导引之术，终日趺坐，泊然溟涬，志不外营。"

⑦ 天涯梦魂中，君家几昆季：无论是浪迹天涯，还是游魂梦境，牵挂的就只是你们家的昆仲数人。微明先生《二哀志》也说："余独居而寡友，其在鄂，惟谢君石钦率年一二过。"意思是说，微明先生在湖北时，就只是与谢复园等一二位同年中举的同学交往。

汉皋挽征櫂　长公与同游[①]
歇浦始停骖　叔子来绸缪[②]
君复惠然顾　期至不可留
江海有遗子　聚散如浮沤
天道果如此　百年将焉求[③]

年为君自富　吾衰志谁酬[4]

乙丑立秋前一日 复园[5]重录于海上学海楼 钤“凤孙”印

注释

① 汉皋挽征櫂，长公与同游：汉皋，汉口。征櫂，远帆航行的船。长公，指微明先生之兄陈曾寿。1904年，端方任湖北巡抚，选派学生远赴日本。由陈曾寿领队，微明先生与谢复园同行，居三月而归。年轻时，扬帆远航，踌躇满志。

② 歇浦始停骖，叔子来绸缪：歇浦，黄浦江的别称。停骖，下马。顾炎武有“落日空城内，停骖问路岐”句。叔子，借羊祜伐吴，广为戎备，来细述两人来沪，皆为绸缪束薪。微明先生《赠谢复园先生诗序》云：“余之来沪，本为鬻书而不能售，遂开社授太极拳，与江湖乞食者伍，盖计无复之出于此途耳。复园亦以鬻书来沪，然不喜酬酢攀援，伏处一室，足不出户。”

③ 君复惠然顾……百年将焉求：微明先生《祭谢石钦先生文》此节文辞，能为之注脚：“余委弃文事，鬻拳糊口。兄亦来申，从事于翰墨，然所得无几。居恒闭户，诗书以自娱。偶然相过，浊酒持劝，诗文商榷，聊舒快于一时。茫茫身世，莽莽前途，唯有乘流顺化，任天运之推移。”

④ 年为君自富，吾衰志谁酬：复园先生虽与微明先生同学，又是同年中举，其实比微明先生年长了20岁，复园重录此诗于乙丑立秋前一日，即1925年8月7日，时年，微明先生44岁，而复园先生已经64岁了。

⑤ 复园（1861—1937年）：姓谢，名凤孙，字石钦，复园其号也。湖北罗田人。与浠水陈家为世交。与微明先生昆仲曾寿、曾则、曾矩三人，以及嘉兴朱强甫、汉阳关絅之，同受业于关絅之父亲汉阳关季华先生门下。光绪壬寅年（1902年），湖北举行庚子辛丑并科乡试，与微明先生昆仲三人同科

中举。次年会试，曾寿高中进士，而微明先生则由嘉兴朱强甫举荐，来杭州求是书院任舆地学教授，复园因受知于张之洞，称其“文如水，人如玉”，以保送考试，之后去贵州做了知县。未几，因辛亥兵起，复园颠沛流离，或设帐授读，薄修以养亲，或鬻翰墨，安贫而守道。晚年寓居沪上，斋名“学海楼”。复园为人贞介，不喜酬酢以攀援，时伏处以自娱，不苟和光而同尘，每临崖岸以自持。其法书就结体而论，法趣皆备，骨肉肌理，直逼寐叟。以此推知，此学“海”者，未必仅仅泛指“学海无涯”之“海”，盖系沈寐叟“海日楼”之“海”。撰有《学部尚书沈公墓志铭》。喜好静坐，早年听从沈寐叟言：“不必佞佛，乃不能不似僧”“静坐是延平家法，若于坐前坐后，专以程子易传，玩味思索，证明性理，吟风弄月，当更有左右逢源之乐，曷试行之”，其静坐之法，从儒家入手，出入于佛道间。微明先生诗赞之：“落落谢夫子，生涯嗟独冷。趺坐移朝暮，静中生奇景。损之至无为，溟涬功猛进。七十比婴儿，肌肤冰花靓。穷老神益健，心光自耿耿。”

序

思允[①]于己酉岁[②]，因张君立识李斌甫[③]，始闻太极拳之名。越八年，陈慎先从广平杨澄甫学。[④]屡约余，以事不果。未久，澄甫南游[⑤]，又因慎先识孙禄堂，每以年长难学为憾。禄堂曰："子毋虑，凡学内家拳者，苟尚有气，即可学。"余意大动，立与慎先请业于杨先生少侯。未数月，少侯之弟澄甫先生自南归，乃改从先生游。[⑥]今六年余矣。

注释

① 思允：此序文作者，徐思允，字茗雪，号愈斋，江苏武进人。曾任溥仪之御医，系许宝蘅的儿女亲家。与陈曾寿等多诗文酬唱。据苍虬《湖上寄怀治芗即祝九日四十初度兼讯茗雪季湘子安》诗自注："茗雪、季湘皆四十一岁，子安三十八，予三十九。"茗雪即徐思允，季湘即许宝蘅。以此推知徐思允、许宝蘅均系1876年生人。

② 己酉岁：宣统元年，即1909年。

③ 李斌甫：生卒不详。杨明漪《近今北方健者传》载："王恭甫……十五入京都米市胡同某教会学校，因得从李彬浦授太极，沉潜致志者八年。

辛亥武昌事起，十月间回山东，从友人走兖徐丰沛”，辛亥革命之前在北京某教会学校传授太极拳的李彬浦，与徐思允1909年在京城所结识的李斌甫，是否同一人，存疑之。

④越八年，陈慎先从广平杨澄甫学：慎先，微明先生，名曾则，字慎先。8年后，也即1917年，其年，微明先生始从杨澄甫学太极拳。

二水按：据微明先生《杨澄甫先生五十寿序》：“澄甫先生……世传太极拳，名闻海内，余少即慕之。甲寅，先生来都门，不介而往谒。八月中秋，敬设酒馔，请先生临寓赏月。酒罢，先生演太极拳，浑然圆融，精光流溢，与月色争辉，叹为平生所未见，因叩问其用法，先生曰：‘用法非言语所能达，亦非一时所能解。汝习他拳，试击吾。’余冒然以拳击之，拳方出身，已跌寻丈外。初未感先生之力，亦不见先生扬手，究不知如何跌也。大惊喜，请授业焉。并约徐苕雪及弟农先同学”云云。甲寅，系民国三年，即1914年。这与徐思允所述之1917年，整整相差了三年。另，微明先生虽然没有明确徐思允从杨澄甫学拳的时间，但从行文来看，也是自1914年。而从后文“今六年余矣”推知，徐思允是在1919年开始才师从杨澄甫学习太极拳的。时间又整整相差五年。后文微明先生自序：“余幼闻武当派太极拳之名，心慕之而未遇知者。乙卯游燕，得见完县孙禄堂先生，授以形意八卦。闻友言广平杨氏世传太极，丁巳秋，访得杨露禅先生之孙澄甫，不介而往见”云，以此推知，微明先生先于1915年师从孙禄堂学习形意八卦，后于1917年秋天，才访得杨澄甫，不介而往见。先见孙禄堂，后访杨澄甫一节，也与后文徐思允所述说同。由此推知，微明先生在中秋夜请杨澄甫临寓赏月的时间，应该是在1917年。

⑤澄甫南游：此次杨澄甫老师南游时间，似界定为1917年与1919年之间。微明先生《太极答问》自序云：“余从永年杨澄甫先生学太极拳八年，以资质鲁钝，故有所疑，辄喜请问。先生亦不惮烦，谆谆诲余。中间先生南游，余曾从少侯先生学三月，亦颇闻其绪论”，也印证微明先生从学杨澄甫其间，杨澄甫老师的此次南游。至于杨澄甫老师应谁之邀，去南方何

地，均无其他资讯相谈助。微明先生学成，于沪上开设致柔拳社之后，杨澄甫老师的南游，微明先生《杨澄甫先生五十寿序》有载：“余至沪设致柔拳社，提倡太极拳，学者甚众，每与讲说先生（杨澄甫）之神妙，莫不轩眉舞蹈，冀一见之。越数载，先生果南下，社友数百人，开会欢迎先生莅社开示其意，并演拳推手。震先生之名来社瞻仰者阗衢溢巷，广厦几不能容。”据《江苏省国术馆年刊》之“本馆大事记”载：（民国十七年）十月二十二日开会欢迎国术名家杨澄甫、刘崇俊两先生”，同刊之“本馆教职员进退纪略”载：“（民国十七年）七月一日聘孙福全为教务主任，田兆麟为武当门教务长，金佳福为少林门教务长”“十月二十三日聘杨澄甫为名誉顾问”“十二月九日查照本馆修正组织大纲，加聘孙福全为教务长，杨澄甫、田兆麟、金佳福为一等教习”“十八年二月二十八日一等教习杨澄甫田兆麟、三等教习孙百如辞职”。由此推之，此次杨澄甫老师南游来南京的时间是1928年10月22日，而这一年的10月23日至1929年的2月28日，杨澄甫老师一直在江苏国术馆任职。

⑥ 又因慎先识孙禄堂……乃改从先生游：又通过微明先生介绍认识了孙禄堂，但自己每每以年岁大了，生怕难以学会，觉得遗憾。然孙禄堂说：“先生你不用顾虑，凡是学内家拳的，不管年事高低，只要还留有一口气，就可以学。”我听了后，心意大动，立即与微明先生一起去向杨少侯请教太极拳了。没几个月，杨少侯的弟弟杨澄甫老师从南方回来，于是就改从杨澄甫老师学拳。

同学前后至众，或作或辍，惟余与慎先相约，不少间断。祈寒袒衣，盛暑挥汗，未尝以为苦也；击撞创痛，屡起屡僵，未尝以为耻也。[①]

注释

① 同学前后至众……未尝以为耻也：当时陆续从杨澄甫老师学习的人很多，练练停停，断断续续，只是我和陈微明先生事先有个约定，期间很少有间断。冬天大寒，练得全身发热而脱衣；夏天盛暑，练到大汗淋漓，挥汗如雨，始终没以此为苦差事。每次与师友推手，或被击打跌出，或受伤创疼痛，每每跌倒爬起，刚爬起又跌出，也从不以此为羞耻。

太极拳为体，推手为用。其始循例动作，亦步亦趋而已。久之能不脱，又久之能不抗。由整而散，渐渐能不乱。尤难者，彼此相黏，必求机势。机势者，顺逆、向背、坚瑕之区别也。机势得矣，必求方向，或上或下，或正或隅，得之则如脱弹丸，失之则如撼大树。方向得矣，必求其时，早则我势未完，迟则彼觉而变。三者皆得，而又动之至微，发之至骤，引之至长。此则余能知之于心，宣之于口，而不能娴之于手者也①。

注释

① 太极拳为体……娴之于手者也：从传统哲学体用角度，把行拳走架看作是“体”，把推手摸劲，当作是“用”，并以学习进阶的角度，总结了拳学过程的习练重点。此节文字非常精到，从“循例动作”开始，到求劲力的“机势、方向、时间”三者的把控，再到“动之至微，发之至骤，引之至长”的境界，也可与王宗岳《太极拳论》之“由著熟而渐悟懂劲，由懂劲而阶及神明”三个阶段，相互发明。

余见练此者众矣，皆莫能与澄甫先生抗。先生犹自言，如与若祖、若伯、若父较，必有所未逮。然后叹此艺之精深博大如此。

顾余于此艺，有引申者二事：其一则世所共知者，养身是也。交通部许君，年近六十，咳唾喘促，乃习斯术，今行步如飞矣。杜姓童子，虚瘠哮胀，从其舅学，今为健儿。其他学一节一式而有效者，不可殚述。盖有导引之利，而无其弊。故其验甚明著。其一则世所未知者，养气是也。吾人之大患，浅率浮躁，恃强任气。太极拳之要诀，则曰气沉丹田，又曰心静神敛。学者先练其身，以次练心，又以次练神，深以测浅，静以制动，柔以克刚。[①] 大之可以应付曲当，小之亦可以全身远害。[②] 是故无老少，无文武，无男女，皆可学，皆当学。学焉而各得其性之所近，不有得于此，必有得于彼。[③] 此余所以津津乐道者也。澄甫先生当采余言，以为甚韪于理，属书之以为《太极拳术》序，乃杂书其意如右。[④]

乙丑夏日 武进徐思允谨序

注 释

① 顾余于此艺……柔以克刚：从“养身”“养气”两方面，详细阐述了太极拳在调控身心上的功效。

二水按：首先，太极拳是一门将自己的身体作为研究课题的学问。通过行拳走架，通过四正四隅、进退顾盼中的训练，来调控自己的身体，进而调控自己的情绪。这门自我调控的学问，其实又是与古人反求诸己、正心修身的修行体系是一脉相承的。孟子说：“发而不中，不怨胜己者，反求诸己而已矣。”这一层面，也相对应于王宗岳《太极拳论》中“著熟”的过程。

其次，通过太极拳推手训练，在调控自己身心的同时，还能调控对手的身心。这也是通常我们理解的太极拳中下乘武技的成分。但是，调控对手的身心，不是以颟顸逞强为能，更非呈角力相扑之技，而是在相互的粘黏连随之中，克服顶匾丢抗之病，去觉知对手劲力的大小、方向、目标，甚至在对手劲力之将发而未发、预动而未动的端倪，去把握对手的运与动。太极推手训练，其实就是通过相互之间的粘黏连随，旨在把握双方劲力意气的运与动，在将发而未发、预动而未动的端倪中，去观照和感触阴阳消长的机。通过相互的喂劲、摸劲，进而建立起一整套完整的攻防体系。对应于王宗岳的《太极拳论》，这一层面，就是“渐悟懂劲”的过程。

第三，通过完整的太极拳训练体系，能够让习练者逐渐进入到一种“太极”的生活状态。太极拳像是一个台阶，让习练者由下往上，沿着台阶，一步步地走上去，一直上到一个境界，这个境界，叫作“神明”。王宗岳说：“由著熟而渐悟懂劲，由懂劲而阶及神明”，这里“阶及”的阶，就是台阶。《淮南子·兵略训》曰：“见人所不见，谓之明；知人所不知，谓之神。神明者，先胜者也。”王宗岳所倡导的太极拳，也就是这样一种学问：我们逐渐地通过练一套拳架，来认识自己，了解别人，了解自己在自然界的位置，让我们与大自然达成和谐共处。

② 大之可以应付曲当，小之亦可以全身远害：曲当，委曲皆得以当之。陆游《贺黄枢密启》云：“应一旦之变，酬酢曲当，非有道者不能。”君子立世，《荀子》卷五之王制篇曰：“欲安，则莫若平政爱民矣；欲荣，则莫若隆礼敬士矣；欲立功名，则莫若尚贤使能矣；是君人者之大节也。”孔子曰：“大节是也，小节是也，上君也。大节是也，小节一出焉，一入焉，中君也。大节非也，小节虽是也，吾无观其余矣。”

二水按：太极拳绝非仅呈一拳一脚之能事。太极拳的功效，从大处而言，因为能在世事万物将发而未发、预动而未动的端倪中，去观照和知觉阴阳消长的机势，所以能应付曲当，保持君子立身，大小节皆不委曲；从小处而言，因为能在世事万物将发而未发、预动而未动的端倪中，去观照和知觉阴阳消长的机势，所以能在风雨将至之时，得以保全身心，远离祸害。

③ 学焉而各得……必有得于彼：太极拳学习过程，虽然必须循例动作，亦步亦趋，但最后终会因为各自的性情不同，而呈现出与各自性情相吻合的精彩纷呈来。不在这方面有所收获，必定在另一方面有所收获。反过来讲，倘若纯粹只是千篇一律的动作展现，那只是舞蹈或体操。

④ 此余所以……乃杂书其意如右：属，同“嘱”，嘱咐，托付之意。如右，竖写习惯中，右起左行，意为“以上这些内容”。此节意思为：这就是我之所以津津乐道的原因，杨澄甫老师当时听了我的这些话，也采纳了我的一些观点，认为我的话符合太极拳的根本道理，所以嘱咐我写下来，可以作为《太极拳术》一书的序言。于是就拉拉杂杂写了以上这些内容。

序

慎先同年[①]，余总角交[②]也。幼同嬉游，长同读，壬寅又同举于乡，嗣后余宦游沪上，遂相别。[③] 闻慎先游京师，学内家拳术，心甚慕之。今年慎先来沪，始知其苦功练习者，有七八年之久。余偶述诸友人李君云书、江君味农、徐君冠南、聂君云台、王君一亭、沈君惺叔、谢君泗亭、赵君云韶等，皆欣然约从学。[④] 仍知太极拳术，其妙全在不用气力，而其极难亦在于此。诸君及余，皆年过四五十，手足木强[⑤]，不能婉转灵活，然习之数月，亦渐能随心应手。乃知斯术无一处不合于自然，无丝豪[⑥]之勉强。余每日听讼疲劳，必休卧片时，今则精神振发，可不复休息矣。诸君中有痔疾及肢体麻木者，亦皆痊愈。人言内家拳术能却病延年，诚非虚语。慎先著《太极拳术》，将付梓，属作序文，爰略书实事于右[⑦]。预知此书，必可风行海内无疑也。

乙丑夏六月 关炯[⑧]

注释

① 同年：科举同科中试者，互称为同年。关炯与微明先生皆系光绪壬寅年（1902 年）湖北庚子辛丑并科乡试同科中试者。

② 总角交：古时儿童束发为两结，向上分开，形状如角，故称总角。总角交，泛指童年相交的好友。

③ 幼同嬉游……遂相别：小时候一起玩耍，长大后又同窗读书，壬寅年（1902 年）又同科高中举人，之后我来上海任职租界会审公廨大法官，于是就分开了。

④ 余偶述诸友人……皆欣然约从学：我偶然跟李云书、江味农、徐冠南、聂云台、王一亭、沈惺叔、谢泗亭、赵云韶等朋友谈起这事，他们都欣然相约，一起来学习太极拳了。李云书、江味农、徐冠南、聂云台、王一亭、沈惺叔、谢泗亭、赵云韶等人，详见《太极答问》出外教授姓名录之注解。

⑤ 手足木强：手足麻木僵硬。

⑥ 豪：当作“毫”。

⑦ 爰略书实事于右：于是就简要地写了上述这些事实经过。

⑧ 关炯（1879—1942 年）：名炯，字絅之，又字别樵，汉阳人。其父关棠，字季华，为汉阳名儒，人尊为“汉阳先生”。微明先生昆仲皆师从“汉阳先生”。后求学于教会博文书院，致力于中西实用之学，在武昌创办民办普通中学和速成学堂，有“小汉阳先生”之称，深得张之洞赏识。以同知入幕上海道袁树勋，1904 年 2 月被委上海公共租界会审公廨谳员，断续主审公廨至 1927 年。为人为官，刚正清廉，以黎黄氏、“五卅”两案最著。传为关羽之后裔，人也尊之为“关老爷”。任致柔拳社名誉社长。微明先生《关絅之居士传》云：“君天性倜傥诙谐，喜丝竹歌唱，博弈游乐，虽至繁剧，必偷隙为之，至老不厌。盖禀赋春和之气，时时得见其天真云”“居鄂时，尝与朱强甫、吾兄弟连骑游郊外，君每纵辔先驰，诸骑争先，奔轶绝尘，乐而忘返。又同习步伐军陈，壮志慷慨，将欲有为于天下也。”

序

余童年闻人道武侠事，辄不觉手舞足蹈，乐而忘倦，尝心慕武当派内家拳术。而生长南邦，不出里门一步，卒无所遇。蕲水陈慎先先生，善太极、八卦、形意三家。太极为广平杨澄甫先生所授，杨氏世传太极，盖武当嫡派也。今年夏，陈先生来沪，筹办致柔拳社，甫于报端披露消息[1]，而报名者纷至沓来。余闻之喜出望外。亟[2]入社，从先生学。先生蓄道德，能文章，曾任清史馆纂修，以杨先生口授之太极拳，笔述成书，多所阐发，稿赠杨先生以酬答之。杨先生藏之数年，不以付梓。余与秦君光昭、王君鼎元、岑君希天[3]闻之，请先生怂恿出之，以传于世。先生书往，杨先生欣然寄稿，并图五十余幅[4]。将付刊，先生命志其崖略，因略道其事实，兼及生平往事，深幸志愿之克遂云耳。[5]

乙丑六月洁人孙绍濂谨序

注释

① 甫于报端披露消息：甫，刚刚，才。报端，报纸上。意思是“刚刚在报纸上披露致柔拳社创办的消息”。

二水按：此消息即1925年5月2日《申报》第17页所载：“吾国内家拳为太极、八卦、形意三种，而太极拳最为精妙。练太极拳之善者，当首推杨澄甫。练八卦、形意之著者，当首推孙禄堂。鄂省陈慎先，独兼二家之长，融会贯通，实为当今内家拳拳术中难能可贵之人物。现在沪筹办致柔拳社，暂寓哈同路南口，福煦路民厚里六百零八号。日来陆续有人报名，业已开始教授，沪上有名人物如王一亭、聂云台等，均就陈君求学云。”

② 亟：急，立即。

③ 余与……岑君希天：此序言作者孙绍濂（1884—1938年），字洁人，吴江人，史量才总理《申报》时所聘任的财务总监，史量才遭暗杀后，依然主政《申报》财务，系致柔拳社初创时的学员，在《太极答问》致柔拳社社员姓名录中，即孙洁人。秦君光昭，或即名单中的秦鉴本；王君鼎元，即王鼎元；岑君希天，即岑巍。以上诸君，皆系时任《申报》职员。

④ 并图五十余幅：书中采用杨澄甫拳照计三十七帧，杨澄甫与许禹生推手照四帧。图五十余幅，可能还包括了微明先生补拍的拳照十三帧，或者微明先生与陈志进推手照九帧。

⑤ 将付刊……克遂云耳：即将付梓刊行时，微明先生叫我将此书的原委大略记录下来，讲清事情经过，并写一些生平往事等。而今书得以出版了，我深感幸运，我们当时“请先生怂恿出之，以传于世”的这一心愿，终于得以完成了。

序

余幼闻武当派太极拳之名，心慕之而未遇知者。乙卯游燕[1]，得见完县孙禄堂先生，授以形意、八卦。闻友言，广平杨氏世传太极。丁巳秋[2]，访得杨露禅先生之孙澄甫，不介而往见。问曰："人言太极杨氏最精，而弗轻传人。然乎？不乎？"澄甫先生笑曰："非不传人，愿得其人而传也。吾祖受之河南陈氏，今将归之陈。君如好之，吾不秘惜。"于是从学七年，以澄甫先生口授之太极拳，及大小掤诸式，笔之于书，以传于世。

注释

① 乙卯游燕：1915 年，我来到北京。

二水按：微明先生 1881 年出生在北京，1883 年随着祖母、父母、叔、姊、兄全家迁离京城，寓居武昌。1904 年，兄陈曾寿中进士后，至京城都察院，任广东监察御史。荐微明先生同赴去北京，在京师五城学堂教《左传》，并在优级师范学校教国文诸子学。之后又回杭州与汪氏完婚。1912 年，同学张彦云推荐他去北京日知报馆，并充任公府润笔。1915 年，梁节厂（鼎芬）推荐他为清史稿编修，一直到 1920 年。所以，北京之于微明先生，其实是他的故乡。

② 丁巳秋：1917 年秋天。

二水按：微明先生《杨澄甫先生五十寿序》："澄甫先生……世传太极拳，名闻海内，余少即慕之。甲寅，先生来都门，不介而往谒……"八月中秋，敬设酒馔，请先生临寓赏月。酒罢，先生演太极拳，浑然圆融，精光流溢，与月色争辉，叹为平生所未见，因叩问其用法，先生曰：'用法非言语所能达，亦非一时所能解。汝习他拳，试击吾'。余冒然以拳击之，拳方出身，已已跌寻丈外。初未感先生之力，亦不见先生扬手，究不知如何跌也。大惊喜，请授业焉。并约徐苕雪及弟农先同学"，此节中"甲寅"，盖系"丁巳"之。

太极拳术，宋张三丰祖师所传也。称为武当内家，其异于外家者，举之略有数端：一动中求静，与道相合；一纯以神行，不尚拙力；一呼吸根蒂，气沈[1]丹田；一循环无端，绵绵不断；一不离不距，随机应变；一专气致柔，以弱胜强。其术纯任自然，无几微勉强。[2]

余年二十余，躯羸多病，发白十之三四。[3] 自遇孙、杨二先生习内家拳术后，精神发越，大异于前。余友有因病习者，虽劳伤痼疾[4]，莫不霍然脱体[5]。诚养生却病之妙术，御侮其余事也。

注释

① 沈：同"沉"。后同，不另注。

② 其异于外家者……无几微勉强：此节列举了太极拳的六大特征，以此来阐述内家拳与外家拳的区别，堪称经典。这六大特征，也自然成为太极拳修炼的要点所在。

③ 余年二十余……十之三四：躯羸：身体瘦弱。意为我二十来岁时，身体瘦弱多病，头发已经白了十分之三四。

二水按：微明先生光绪戊戌（1898 年）娶其姑丈继室之女范氏为妻，产子皆不育，光绪乙巳（1905 年）正月，范氏因异常分娩，难产导致母子皆丧。时年，微明先生二十四岁，《范孺人哀辞》云："吾妻死，停室中三月，不忍遽出也"；《强志斋记》云："余二十四岁丧耦，颓废无聊，尝读《庄子》至'寥已吾志'，因取'寥志'以自号。"可见其时，微明先生百无聊赖，情绪低谷。无往焉，而不知其所至；去而来，而不知其所止；已往来焉，而不知其所终。

④ 劳伤痼疾：劳伤，五劳七伤之简称。中医泛指因过度劳累而引起的各类陈年伤病。

⑤ 霍然脱体：陈年病痛，一下子像是脱去一件沉重的湿衣服一样，全身顿然轻松。

余今年创办致柔拳社于海上，招集文雅之士，共同研习。因印此书，俾学者有所遵循，求其体式之中正。[1] 又将王宗岳先生所著《太极拳论》，加以注释，附印于后，俾学者知用法之精巧。[2] 惟是太极拳式，曲中求直，变动不居，实难以笔墨形容，虽力求简明，仍恐有不尽之处，阅者谅焉。

乙丑夏陈微明识

注 释

① 因印此书……体式之中正：刊行此书，目的是使得习练太极拳的人，有一个能赖以遵循的法则和摹本，一式一势以求其中正。

② 又将王宗岳先生所著……用法之精巧：又将王宗岳先生的《太极拳论》，逐一加以注释，附印在后面，目的是使得习练者，能够进一步深入研讨太极拳用法之精妙。

凡 例

○ 太极拳，时时变动方向。说[①]内不得不以东西南北方向表示，俾阅者易明。至练熟后,则不择方向矣。

○ 图式，皆杨澄甫先生所摄影。其中有未备者，余为补之。其规矩分寸均谨守澄甫先生所授之姿势。

○ 顺步推手大攦，乃澄甫先生及许君禹生[②]合照，仅四图，未尽推手之形式，余与致柔拳社助教陈君志进[③]合照补之。

○ 推手二人合手之图，说中分甲乙，右为甲，左为乙。

○ 大攦四图，形势皆备，甲乙可互相变换为之。

注 释

① 说：论说。“说内”“说中”，依照今人语境，意为“书内”“书中”。后同，不另注。

② 许君禹生：许龗厚，字禹生，河北宛平人，年届弱冠，见国体日衰，益励志习武，广访各派名师益友，发愤钻研，涉历内外各家。若少林，若六合，若岳氏，若八卦，若通臂，而专功于太极拳，盖于是时已植其基。以杨氏班侯、健侯，刘氏德宽，宋氏书铭为之师；以纪氏子修，吴氏鉴泉，杨氏

少侯、澄甫，刘氏凤春，李氏存义，张氏玉莲诸人为之友。复究心陈沟各项拳法，旁及器械，集各派之精华，卓然有所树立，数十年而不懈，于太极拳擅独得之秘。民国初年出任教育部专科系主事，建议学校设置国术课，并成立体育学校，将武术列入学科考试科目，1912 年 11 月，邀北平武术界吴鉴泉、赵鑫洲、葛馨吾、纪子修等创办北平体育研究社。1916 年，附设北平体育讲习所，延聘吴鉴泉、杨少侯、杨澄甫、刘恩绶、纪子修、刘彩臣等任教。1918 年，创刊《体育》。1929 年 12 月，倡导成立北平市国术馆。编著《太极拳势图解》，初版于民国十年十二月。书中拳势，一一据此书中杨澄甫老师所赠的拳照勾勒而成。对照阅读《太极拳势图解》《太极拳术》，能清晰地看到杨澄甫老师的拳架变化轨迹，这对深入研究拳理拳史，颇有裨益。

③ 陈君志进：陈志进，生卒不详。田兆麟老师早年的弟子，后也从杨澄甫老师学拳，1927 年 11 月，剑仙李景林来上海，叶大密老师约陈微明与陈志进一同向李景林学习武当对手剑法。陈志进美髯飘逸，掌大如蒲扇，一副仙风道骨相。当年上海拳界，昵称他为“陈大胡子”。众多的杨家师兄弟中，几无人能逃脱陈大胡子的“按劲”。抗战全面爆发后，陈购置庐山别墅，离开孤岛上海，过起渔樵耕读的隐居生活。临行，与叶大密老师道别，两手又作手谈。就这一次，陈大胡子的按劲怎么也不能在叶老师身上发挥其威力来。陈大胡子爽朗地笑了：“伯龄，你的功夫大进啦！”抗战结束后，经多方打听，从庐山传来的消息说有一须髯道士，坠落山崖致死。叶大密老师说，没想到自此一别，竟成永诀！微明先生也是在其过世后三年，才知其死讯，有诗曰：“陈君共事久，率真兄坦豁”“哀闻墓宿草，死生永契阔”。

太极拳术目录

注释

① 后文章标题为“太极拳术源流”。依据原书，目录与章节标题有不统一的情况。后同，不另注。

② 鞭：音 biā n，古同“鞭”。后同，不另注。

③ 扇通臂：中国书店《太极拳选编》本作“肩通背”。

④ 撇身锤：中国书店《太极拳选编》本作“白蛇吐信”。

⑤ 膧：当作“裆”。后同，不另注。

张真人传[①]

真人，辽东懿州人[②]，姓张，名君实[③]，字元元[④]，号三丰子，又号昆阳。或云姓张，名玉，字君宝，号元元子，宋末时人[⑤]。生有异质，龟形鹤骨，大耳圆目，身长七尺余，修髯如戟，顶作一髻。常戴偃月冠，一笠一衲，寒暑御之，不饰边幅，[⑥]人皆目为张邋遢[⑦]。所啖升斗辄尽，或避谷数月，自若。延佑间，年六十七，入嵩南，遇吕纯阳、郑六龙，得金丹之旨。或云入终南得火龙真人之传。秦淮渔户沈万山[⑧]，好善乐施，真人传以点石成金之术。元末，居宝鸡金台观。至正丙午九月二十日[⑨]，自言辞世，留颂而逝。士民杨轨山，置棺殓讫，临窆[⑩]复生，时年百三十岁矣。入蜀至太和山，结茅于玉虚庵。庵前古木五株，尝栖其下，猛兽不伤，鸷鸟不搏，众皆惊异。有人问仙术，绝不答。问经书，则论说不倦。尝语武当乡人曰："此山当大显"[⑪]。明永乐间，敕修武当，真人隐于佣工，人皆不识。孙真人碧云为武当山住持，与真人来往，多受其教。永乐帝闻之，遣使屡召不赴，以诗词讬碧云奏之。后以道授道士丘元靖，不知所终。世传太极拳术，乃真人所传也。[⑫]

注释

① 张真人传：微明先生此篇《张真人传》，系从《张三丰全集》卷九之“三丰张真人源流”一文化出。兹将原文附录，以供参阅：

三丰张真人源流

真人，辽东懿州人，姓张，名君实，字元元，号三丰子，又号昆阳。或云姓张，名玉，字君宝，号元元子，宋末时人。生有异质，龟形鹤骨，大耳圆目。身长七尺余，修髯如戟，顶作一髻，常戴偃月冠。一笠一衲，寒暑御之。不饰边幅，人皆目为张邋遢。所啖升斗辄尽，或避谷数月自若。延佑间，年六十七，入嵩南，遇吕纯阳、郑六龙，得金丹之旨，修炼成道。或云入终南，得火龙真人之传，修炼成道。秦淮渔户沈万山，又名万三，好善乐施，限于家贫，不能如愿，真人传以点石成金之术，遂其愿。万三自号三山道士，其丹室有联云：“八百火牛耕夜月，三千美女笑春风”，世称为聚宝盆，城西南三山街是其故居。真人于元末居宝鸡金台观，至正丙午九月二十日，自言辞世，留颂而逝。士民杨轨山置棺殓讫，临窆复生，时年一百三十岁矣。从此入蜀，至太和山，结茅于玉虚庵。庵前古木五株，尝栖其下，猛兽不伤，鸷鸟不搏，众皆惊异。有人问仙术，绝不答。问经书，则论说不倦。尝语武当乡人曰：“此山当大显。”后永乐间，皇帝敕修武当，真人隐于工人之中，勤劳行功，人皆不识，惟碧云孙真人深知。时碧云为武当山住持，与真人来往，多受真人益。真人名达天庭，皇帝遣使屡召不赴，惟以诗词托碧云奏之。后以道授道士丘元靖，不知所终。

② 懿州人：懿州始建于辽圣宗太平三年（1023年），原系萧太后的孙女燕国长公主的私城，历辽、金、元三代。史称懿州为辽东懿州，或辽阳懿州。任自垣《敕建大岳太和山志》之张三丰传，称“相传留侯之裔，不知何许人。”《大岳太和山纪略》之张三丰传，称“辽东懿州人，张仲安第五子也。”之后，张三丰籍贯众说纷纭，宝鸡说、沙陀说、懿州说、辽阳说、辽东说、闽县说、羊城说、天目说、平阳说、黄平说、金陵说，不一而足。

③ 君实：君宝。《张三丰全集·杂说正讹》之八云：“俗本载祖师原名

君宝，及观《神仙鉴》，始知‘宝’本作‘实’，鲁鱼相误，有如是者。并按‘君实’二字，似字非名。暨阅陆俨山《玉堂漫笔》，乃知祖师名通，号玄玄，君实其字也。天师之后，曾寓凤翔宝鸡县之金台观。詹事府主簿南阳张朝用尝识之，见其行足不履地。胡忠安公荐朝用为均州知州，同访不遇。又有密敕，云淮安王宗道曾与三丰学仙，令觅同往。三年召见，赐宗道金冠鹤氅，奉书香遍游天下，越十年，竟不遇还。”

④ 元元：任自垣《敕建大岳太和山志》之张三丰传称：“张全弌，字玄玄，号三仹。”《大岳太和山纪略》之张三丰传称：“三丰，号元元子，又号张邋遢。”“玄”盖因避讳改“元”。

⑤ 宋末时人：真人所处年代，也各有其说，有刘宋说，有宋元说，有元明说，甚至明中晚期，乃至民国年间或有仙踪可稽。

⑥ 生有异质，龟形鹤骨……不饰边幅：仙尊的形象，大凡都一依任自垣《敕建大岳太和山志》之张三丰传：“丰姿魁伟，龟形鹤骨，大耳圆目，须髯如戟，顶上作一髻，手中执一方尺，身披一衲，自无寒暑。”

⑦ 张邋遢：又称邋遢张。是否与张三丰别是一人，历来有争议。

任自垣《敕建大岳太和山志》，收录成祖永年十年赐张三丰书：“皇帝敬奉书。真仙张三丰先生足下：朕久仰真仙，谒思亲承仪范。尝遣使致香奉书，遍诣名山虔请。真仙道德崇高，超乎万有，体合自然，神妙莫测。朕才质疏庸，德行菲薄，而至诚愿见之心，夙夜不忘，敬再遣使。谨致香奉书虔请。拱俟云车凤驾惠然降临，以副朕拳拳仰慕之怀”云云。求仙之心切可知。凌云翼、卢重华著《大岳太和山志》也沿袭此书。杨仪《高坡异纂》引录陆深《玉堂漫笔》，也全文收录了此御制书。只是各本在传抄中，文字稍有出入。杨仪书三丰事，“乃是《懿州志》中旧传”，“张三丰，辽东懿州人，张仲安第五子也”“初疑邋遢张别是一人，子业又持灵济宫道士所藏刻本文皇御书示予，但称玄玄子，而不称三丰先生。其时有张举人维，乃尚质之弟也。自海南内徙当涂。其人酷慕神仙，亦云不能知。故不敢入并邋遢张。亦不复别出”云。杨仪，字梦羽，号五川，嘉靖五年进士，历任工部主事等职。《四库全书总目提要》评价其书“往往诞妄”“小说之诞妄，未有如斯之甚者也”。而此则文字，作者对别号“张邋遢”的张三丰与《懿州志》中旧传的张三丰、《御制书》里“玄玄子”之张三丰诸等身份，是持存疑态度的。

李日华《味水轩日记》记载两次礼白岳（休宁齐云山）的经历，且两次都奇遇了邋遢仙张真人。

第一次时间为万历三十八年九月十六日（公元 1610 年）：“五鼓起。盥栉。同羽流鼓吹诣拜表台上章。天风猎猎。清寒砭入骨。如置余九霄郁罗之府。尘海浩浩。俱出履带下也。归院午飧罢。羽流乞书扇者棼集。漫占语应之。不复计其工拙。天门外石室中遇张邋遢。一百二三十岁人。”此次游白岳，李日华还作《礼白岳记》，诗云：“曾闻不死药，今见不死人。眸子帝青宝，口颊桃花春。短发披雪毳，破衣结悬鹑。真气薰四坐，顾盼烨有神。自言肃皇帝，醮籙祈玉宸。余时卧马槽，积雪环其身。三旬不转动，气出如炊蒸。马卒呵使起，怡愉方欠伸。骇视倾都邑，赞叹集冠绅。朝官百余辈，秉笏拜下尘。肃皇铸鼎就，憗遣山林臣。兀兀六十载，阅世如碁枰。松觔络坚石，莹珀固飞蝇。不有后天老，那有先天生。嗤嗤流俗徒，难可与其陈。”

第二次是在万历四十二年四月十八日（公元 1614 年）：“同羽流吴立斋，步至天门外，访张邋遢。邋遢闻余至，喜甚。曰：吾夜梦觉有异，君非凡人也。固相与团坐阶石上，话无町畦。邋遢自起，手煎茶来饮余，又散果于诸从者。虽乞子亦与之，又谆谆戒余勿多饮酒。酒至五合，必经汗一番而醒，是真气之贼也。余心佩其言。邋遢之徒，别出饼饵椿芽，款洽甚至。余以一律书扇贻之：偶从福地遇真仙，团坐长松怪石前。淡话常言番有味，烹茶分果结多缘。年过甲子再甲子，游遍大千又大千。他日相逢定何处，天台山里石桥边。”

另，李日华《紫桃轩又缀》卷一亦记载张邋遢事：“张邋遢在白岳，遇雪积数尺，辄喜，解衣裸卧其中良久，气蒸蒸如炊满斛饭。见人来，伸缩自恣。大呼曰：快活。余尝密问之。曰：至阴能感至阳，雪气触我丹火，相为融泱故也。然上界真人，亦雅重雪，谓之天公玉戏。”齐云山位居江南，农历九月、四月间均无雪。此节文字，概系《礼白岳记》“余时卧马槽，积雪环其身”句的注解。

《紫桃轩又缀》同卷，李日华还记载了张三丰再传弟子陈性常事，谓“三丰于正统间尚在”云云。

可见，李日华虽然亲历了与邋遢真人的两次会晤，且也不厌其烦地记述了这位“不死人”，但在李日华心中，他确知明成祖苦苦寻访的“张三丰”，与他所二遇的张邋遢是截然不同的两位神仙。

⑧ 沈万山：《张三丰全集》卷一载：“沈元秀，名秀，字万三，号三山。明初南中人”“沈万三者，秦淮大渔户也。心慈好施，其初仅温饱。至正十九年，忽遇一羽士，神采清高，龟形鹤骨，大耳圆目，身长七尺余，修髯如戟。时戴偃月冠，手持刀尺，一笠一衲，寒暑皆然，不饰边幅。日行千余里，所啖升斗辄尽，或辟谷数月，而貌转丰。万三心异之，常烹鲜暖酒，邀饮芦洲，苟有所需，极力供俸。偶于月下对酌，羽士谓曰：‘子欲闻吾出处乎?’万三启请，乃掀髯笑曰：‘吾张三丰也。’遂将生世出世，修真成真之由叙述一篇，言讫呵呵大笑。万三闻言，五体投地，称祖师者，再并乞指教，曰：‘尘愚愿以救济，富寿非敢望也。’祖师曰：‘虽不敢妄泄真传，亦不欲缄默闭道，予已深知子之肺肠，当为作之。’于是置办药材，择日启炼，七七启视，铅汞各道，祖师嗟咄不已，万三自谓机缘未至。复尽所蓄，并售船网以补码下工，及半忽汞走如焚，茅荩皆毁，万三深叹福薄，祖师亦劝其勿为。夫妇毫无怨意，苦留再炼，赀财已匮，议鬻幼女，祖师若为不知，窃喜其志坚，一任所为。令备朱里之汞，招其夫妇至前，出药少许，指甲挑微芒，乘汞热投下，立凝如土，复以死汞点铜，钱悉成黄白，相接长生。祖师遂略收丹头，临行嘱曰：‘东南王气大盛，当晤子于西南也。’遂入巴中。万三以之起立家业，安炉大炼，不一载富甲天下，凡遇贫乏患难，广为周给，商贾贷其赀以贸易者，直遍海内，世谓其得聚宝盆，故财源特沛。斯时世乱兵荒，万三惧有祸，乃毁丹炉器皿，自号三山道士。至今南京

城西南街，即其迁处。会同馆即其故居，后湖中地，即其花园旧址也。”

⑨ 至正丙午九月二十日：1366 年农历九月二十日。

⑩ 窆：墓穴，下葬。

⑪ 此山当大显：任自垣《敕建大岳太和山志》载：“洪武初来入武当，拜玄帝于天柱峰。遍历诸山，搜奇览胜。常与耆旧语云：‘吾山异日与今日大有不同矣。我且将五龙、南岩、紫霄去荆榛，拾瓦砾，但粗创焉。’命丘玄清住五龙，卢秋云住南岩，刘古泉、杨善澄住紫霄。又寻展旗峰北陲，卜地结草庐，奉高真香火，曰‘遇真宫’。黄土城卜地立草庵，曰‘会仙馆’。语及弟子周真德：‘尔可善守香火，成立自有时来，非在子也。至嘱至嘱。’”

⑫ 世传太极拳术，乃真人所传也：杨露禅从陈长兴学得拳技，授徒伊始，一直以来供奉张三丰为祖师爷，杨家传抄的诸本老拳谱，也一依张三丰之承留遗教。

二水按：中国传统文化里，张三丰无疑是最有魅力的一位仙尊。从可资稽考的图集中得鉴，此仙尊亦神龙见首不见尾者。其弟子丘玄清于洪武十八年（1385 年）被朱元璋授予嘉议大夫太常寺卿。洪武二十三年（1390 年），仙尊已拂袖长往，不知所之了。洪武二十四年（1391 年），朱元璋遣三山高道，使于四方，清理道教，说：“见到有叫张玄玄的，可请来见我。”仙尊自是没理会他。永乐十年（1412 年），明成祖朱棣御制诏书，敬奉真仙张三丰足下，“久慕真仙，渴思亲承仪范”“朕才资疏庸，德行菲薄，而至诚原见之心，夙夜不忘”“数度遣使，遍诣名山致香奉书虔请”“拱候云车凤驾，惠然来临”云。而“道德高尚，超乎万有，体合自然，神妙莫测”的仙尊张三丰，就是不搭理他。明成祖又敕令从华山找回曾被朱元璋譬作“虽时代不同，朕便是轩辕，尔便是广成子”的道士孙碧云，去“真仙张三丰老师”鹤驭所游的武当山，创建道场。数朝皇帝，发愿找寻真仙，且启动国家工程，大建道观宫殿，这一举动，一定会引发群体膜拜效应。各地有关张三丰的仙迹纷涌，而道德高尚的张三丰，始终迹驻黄鹤，渺无影踪。于是乎，张三丰籍贯众说纷纭，宝鸡说、沙陀说、懿州说、辽阳说、辽东说、闽县说、羊城说、天目说、平阳说、黄平说、金陵说，不一而足。张三丰所处年代也各有其说。有刘宋说，有宋元说，有元明说，甚至明中晚期，乃至民国年间或有仙踪可稽。近年来，随着传统文化的复兴，作为对一种文化现象的研究，全国成立了张三丰历史文化研讨会，各大院校研究机构，都有大量的人力物力投入其中，自然也鼓舞各色人等的高昂热情。有人主张以“张三丰太极拳”作为非物质文化申遗的课题；而张三丰籍贯“邵武说”，风头正劲。但无论如何，真仙本尊，踪迹秘幻，莫可测识，“其能震动天子，绝非妄诞取宠者所可几者”。

杨家太极拳之祖师于张三丰，在二水看来，就像是木作百工祖师于鲁班，梨园祖师于唐明皇，典当、卜卦、丝纺、糕作祖师于关羽关老爷，华夏民族认祖归宗于炎黄始祖。这是一份文化的积淀与精神慰藉。诚然，我们知道河姆渡文明，已经有了经典的木作构件；远在唐明皇之前，夏商周时期，我们的舞蹈艺术已经达到非常高的水平；关羽关老爷也未必是典当、卜卦、丝纺、糕作业的创始人；炎黄始祖，未必与我们每个人的基因有关联性。但是，这一切，不影响我们对于鲁班，对于唐明皇，对于关老爷，对于炎黄始祖的精神皈依。就像是太极拳，虽然我们至今还不清楚，究竟是什么年代，究竟是谁第一个将一门拳技形式，称作了太极拳。作为一门精妙的内功拳艺，一定是需要千百年的文化积淀；作为高深的太极理论，也一定是经历了千百年的文化演进；作为太极拳经典标志的太极图，也一定是经历了千百年中外文化的交融与碰撞。但无论如何，这一切的一切，张三丰之于太极拳，就始终像是一份挥之不去的情结，不是谁想否定，就能否定得了；谁想漠视，就能漠视得了的。另一方面，究其太极拳的传承源流，就像是传统大宗族的续修家谱，显然，我们只能从自身出发，找父辈，再找祖辈、曾祖辈……一代代溯流而上，追探其本，而不能从炎黄始祖开始，一代代往下顺流下来，这样就会迷失自己的家园。追溯太极拳的传承源流也一样，我们不妨从自身的拳技流派出发，由下而上一辈一辈，一代一代地追寻先祖，而不能一味地好古敏求，贸然地从许宣平或李道子等等仙流，一代代地往下找寻自己的身影，这样一定会迷失自己。

太极拳术源流

拳术有内外家之别，外家传自少林，内家始于宋之张三丰。三丰为武当丹士，徽宗召之，道梗不得进，夜梦元帝[①]授之拳法，厥明，以单丁杀贼百余。

注释

① 元帝：玄帝，指道教所奉的真武帝。清初避康熙皇帝玄烨之讳，改“玄帝”为“元帝”。

三丰之术，百年后，流传于陕西，王宗岳名最著。传温州陈州同，明嘉靖间，传于张松溪。松溪，恂恂如儒者，遇人恭谨，求其术，辄逊谢。有少林僧数辈，闻其名，至鄞访之，遇于酒楼。一僧跳跃来蹴，松溪稍侧身，举手送之，僧如飞丸陨空，坠重楼下，几死，众僧骇散。松溪传于四明叶继美近泉，近泉传吴昆山、周云山[①]、单思南、陈贞石、孙继槎。昆山传李天目、徐岱岳。天目传余波仲、吴七郎、陈茂宏。云泉传卢绍歧。贞石传董扶舆、夏枝溪。继槎传柴元明、姚石门、僧耳、僧尾。思南传王来咸征南。征南搏人，每点其穴，有死穴、晕穴、哑穴。其术要诀，为“敬、紧、径、切、勤”五字[②]。明亡，终身菜食，以明此志，识者哀之。至清传山右王宗岳。《太极拳论》，宗岳所著也。数传至河南陈先生长兴、蒋先生发。

长兴授徒数十人，广平杨先生露禅，名福魁，倾赀从学[③]。居数载，与同门诸人较，辄负。偶夜起，闻隔垣有呼声。越垣，见广厦数间，破窗隙窥之，其师正指示提放之术，大惊，于是每夜必窃往。久之，尽得其奥妙，隐弗言。长兴以露禅诚实，一日召授其意，所言无不领会，长兴异之，谓诸徒曰：“倾心授尔，尔不能得，杨生殆天授，非汝等所能及也。”厥后，与同门角，无不跌出丈余，曰：“吾以报复也”，技成乃归。[④] 长兴传杨露禅、李白魁[⑤]、陈耕芸诸人，惟露禅最精。传其子锜、钰、鑑，[⑥] 及王兰亭诸人。大先生锜，早死无传。二先生钰，字斑侯，传万春、全佑、侯得山、陈秀峯。[⑦] 三先生鑑，字健侯，传其子兆熊、兆清、兆元、兆林、兆祥、[⑧] 刘胜魁、张义。兆熊，字少侯，传田肇麟、尤志学等。兆清，字澄甫，传武汇川、牛春明、阎仲魁等，肇麟等亦从学。许禹生亦从少侯、澄甫研究。予与徐若雪、陈农先[⑨]，从澄甫先生学。是编，乃澄甫先生口授，予为笔述焉。全佑传其子艾绅、夏贵勋、王茂斋。所不知者，尚多遗漏。不及备载。

陈微明述

注释

① 周云山：盖“周云泉”之误。

② “敬、紧、径、切、勤”五字：此五字系从雍正曹秉仁纂修《宁波府志》卷三十一艺术载之张松溪传中化出，原文附录如下，以助谈资：

张松溪，鄞人，善搏，师孙十三老。其法自言起于宋之张三峰。三峰为武当丹士，徽宗召之，道梗不前，夜梦元帝授之拳法，厥明以单丁杀贼百余，遂以绝技名于世。由三峰而后至嘉靖时，其法遂传于四明，而松溪为最著。松溪为人恂恂如儒者，遇人恭敬，身若不胜衣，人求其术辄逊谢避去。时少林僧以拳勇名天下，值倭乱，当事召僧击倭，有僧七十辈，闻松溪名，至鄞求见，松溪蔽匿不出，少年怂恿之，试一往，见诸僧方校技酒楼上，忽失笑，僧知其松溪也，遂求试，松溪曰：“必欲试者，须召里正，约死无所问。”许之，松溪袖手坐，一僧跳跃来蹴，松溪稍侧身，举手送之，其僧如飞丸陨空堕重楼下，几毙，众僧始骇服。尝与诸少年入城，诸少年闭之月城中，罗拜，曰：“今进退无所，幸一试之。”松溪不得已，乃使诸少年举圜石可数百觔者累之，谓曰：“吾七十老人无所用，试供诸君一笑，可乎?”举左手侧而劈之，三石皆分为两，其奇异如此。

松溪之徒三四人，叶近泉为之最。得近泉之传者，为吴昆山、周云泉、单思南、陈贞石、孙继槎，皆各有授受，昆山传李天目、徐岱岳；天目传余波仲、陈茂弘、吴七郎；云泉传卢绍岐；贞石传夏枝溪、董扶舆；继槎传柴元明、姚石门、僧耳、僧尾，而思南之传则有王征南。征南名来咸，为人尚义，行谊修谨，不以所长炫人。

盖拳勇之术有二，一为外家，一为内家。外家则少林为盛，其法主于搏人，而跳踉奋跃，或失之疎，故往往为人所乘。内家则松溪之传为正，其法主于御敌，非遇困危则不发，发则所当必靡，无隙可乘，故内家之术为尤善。其搏人必以其穴，有晕穴，有哑穴，有死穴，相其穴而轻重击之，无毫发爽者。其尤秘者，则有敬、紧、径、劲、切五字诀，非入室弟子不以相授，盖此五字不以为用而所以神，其用犹兵家之仁、信、智、勇、严云。

③ 倾赀从学：赀，同“资”。微明先生《太极剑》所录之太极拳名人轶事称“露禅倾产挚金”云。

④ 长兴以露禅诚实……技成乃归：杨露禅师承陈长兴学拳的过从，微明先生在后刊的《太极剑》一书所附录的太极拳名人轶事一文中，更为详尽生动：

露禅尝习外家拳，其后闻河南怀庆府陈家沟陈长兴者，精太极拳，露禅倾产挚金，往怀庆从长兴学。数年，偶与其师兄弟相较，辄负。夜起溺，闻有声于墙外，乃越墙往观其异，见师兄弟辈，群集于厅中，其师口讲指授，皆拳中精意也，乃伏窗外窃窥。自后每夜必往。他日，其师兄强露禅与之较，露禅不得已许之，不能胜露禅，众大惊异。其师召露禅曰：“吾察子数年，诚朴而能忍耐，将授子以意，明日来予室。”翌日，露禅往，见其师，假寐于椅，而仰其首，状至不适。露禅垂手立于侧，久之不醒，于是以手承师之首，良久，臂若折，而不敢稍移。及其师醒曰：“孺子来耶，予倦睡矣，明日再来。”露禅退，明日复如约而往，其师已陶然入睡乡矣。露禅屏声息气而待之，其师或张目四顾，见露禅俟于旁，无怨色，且加敬焉，又言如前。露禅第三日往，其师曰：“孺子可教也。”于是授之术，令归习之。后其师兄弟或与之相比，而无有能胜之者。长兴谓其他弟子曰：“予以所有之功夫，与子辈而不能得也，不与露禅而已得之去矣。”露禅学既成而归，财产已尽。

⑤ 李白魁：盖“李伯魁”之误。其人无传，生卒不详。最早刊行的资料中，始见诸 1921 年刊行的许禹生《太极拳势图解》上篇太极拳之流派：“时有杨禄蝉先生福魁者，直隶广平府永年人，闻其名，因与同里李伯魁共往师焉。初至时，同学者除二人外，皆陈姓，颇视异之。二人因而更相结识，尽心研究，常彻夜不眠”云。许禹生之“杨禄蝉”即微明先生之“杨露禅”，微明先生之“李白魁”，也即许禹生之“李伯魁”。

⑥ 传其子锜、钰、鉴：许禹生《太极拳势图解》本作：“有子三，

长名锜，早亡，次名钰，字班侯，三名鑑，字健侯，亦曰镜湖。”许禹生之“锜”即微明先生之“錤”；微明先生之“斑侯”也即许禹生之“班侯”。

⑦二先生鈺……陈秀峯：峯，古同“峰”。许禹生《太极拳势图解》本作：“当露禅先生充旗营教师时，得其传者盖三人：万春、凌山、全佑是也，一劲刚，一善发人，一善柔化。或谓三人各得先生之一体，有筋骨皮之分。旋从先生命，均拜班侯先生之门，称弟子云。”微明先生之“侯得山”是否即为许禹生之“凌山”，抑或别一其人，存疑之。陈秀峰者，在微明先生《太极剑》一书所附录的《太极拳名人轶事》一文中，另有传记：

杨班侯弟子，至今惟有陈秀峰及富二爷二人。秀峰，武清县人，与澄甫先生同里，余未见之。富二爷住东城炒面胡同。余闻澄甫先生言，亟往访之。年七十余矣，气态若五十。其子年过五旬，不知者以为昆弟行也。

⑧三先生鑑……兆祥：许禹生《太极拳势图解》本作：“三名鑑，字健侯，亦曰镜湖，皆获盛名。余从中镜湖先生游有年，谂其家世，有子三人，长曰兆熊，字梦祥，仲名兆元，早亡，叔名兆清，字澄甫。班侯子一，名兆鹏，务农于乡里。”

杨澄甫《太极拳使用法》澄甫老师传名录下，有“杨兆鹏”之名，即系许禹生所言班侯之子。杨兆鹏，字凌霄（1892—1938年），班侯遗腹子，从学于堂兄澄甫先生，随澄甫先生南下助教。杨振基《杨澄甫式太极拳》云：“老爷子（澄甫）手重，不好打，叫兆鹏叔叔管我们”云。杨兆鹏后由微明先生举荐，至广西授拳，客逝异乡。

而微明先生所言字“兆林”，字振远，杨凤侯之子，人称“杨老振”。杨澄甫《太极拳使用法》禄禅师传名录下凤侯传子，即有兆林，字振远。

而微明先生所言字“兆祥”，待考。

⑨陈农先：微明先生的六弟，名曾畴，字农先。

二水按：微明先生生母生八个孩子，老大是姐姐，12岁病逝；伯兄陈曾寿，字仁先，号苍虬；微明先生居三，名曾则，字慎先；老四陈曾矩，字絜先；老五曾毂，字诒先；老六曾畴，字农先；老七曾言，字询先；老八曾杰，字识先。继母生二个孩子：老九曾馀，字厚先；老十曾潜，字灼先。

太极拳术十要

杨澄甫口授
陈微明笔述

一、虚灵顶劲[①]。顶劲者，头容正直，神贯于顶也。不可用力，用力则项强，气血不能通流，须有虚灵自然之意。非有虚灵顶劲，则精神不能提起也。

注 释

① 虚灵顶劲：神贯于顶，自有灵趣在其中。虚，若有意若无意，有意无意是真意。虚，则万物悄无声息。灵，也作领，通领全身之意。领了后，方见灵。灵，则一阳易于发动。一气真阳，如春雨滋润万物，悄无声息。所谓"人不知我，我独知人"。顶劲在百会与囟门之间，不能停留，颈部轻贴后衣领，微收颌，脸如大象卷鼻，喉头永不抛矣。如是，督脉气息如河车逆运，循环往复，周流不息。脚心涵空，蹈之如履薄冰，胸腹掏空，触之如临深渊。全身精神领起，神贯于顶，如鸡鸣时，引颈卷尾，胸腹通透轻便，了无挂碍。所谓"如一袭空衣挂于树梢"者，如此方见上丹田的功夫。

二、含胸拔背[①]。涵胸者，胸略内涵，使气沉于丹田也。胸忌挺出，挺出则气拥胸际，上重下轻，脚跟易于浮起。拔背者，气贴于背也。能含胸则自能拔背，能拔背则能力由脊发，所向无敌也。

注释

①含胸拔背：在众多太极拳身法要领里，对“含胸拔背”的质疑，由来已久。民国十九年唐豪出版《太极拳与内家拳》一书，在其序言中称：“据有一位学者的夸奖，太极拳的动作是：‘最合于生理上之程序，能使身体平均发达’的体育。这位学者的话，是否有称誉过当的地方，在运动生理上是一个应该精密讨论的问题”“内部呼吸器官的运动，是应该扩胸，而不应该含胸的，这也是运动生理学上不可否认的话。一般太极拳家，却教人含胸呼吸，而不许人挺胸，这种呼吸运动的价值如何？吾以为是一个应该精密测试的问题。”之后还在正文第八章“太极拳之呼吸”中，以“欧美先进之国民，其体格较我为强，此公认之事实也。彼等由幼而壮，在学校中所受之体育训练，类皆挺胸呼吸”为由，对太极拳呼吸时“胸须内含”提出异议，并“不禁为民族盛衰前途，抱无穷之隐忧焉！”把批驳“含胸呼吸”上升到了与“民族盛衰”休戚相关的层面上。唐豪作为太极拳业外人士，其论点毕竟是隔行之言，因此，他的“忧国忧民”没有引起国民的群和响应，也没有引起太极拳界的附和与反驳。

1986年8月，张义敬出版《太极拳理传真》一书，“雅轩老师书信摘录”一节中摘录1964年11月20日李雅轩信函云：“含胸拔背这句话，老论上没有。这是形意拳、八挂（卦之误植）掌上的规矩。因为陈微明早先跟孙禄堂练过一段时间的形意拳，后来才跟杨老师学太极拳。陈著的太极拳书上，有太极拳十要，把老论上的些话，反正地说了一些，又添了这句‘含胸拔背’，以后练太极拳的人，以为这句话与太极拳也无妨碍，作书的也将这话沿用了，从此就成了练太极拳的规矩了。其实，不是那回事，所以我今告诉你们，对这句话不要过分强调，如强调了，就脱离了自然。太极拳是以端正为主要的基础。在这种基础上，胸腰脊背为了动作的需要，是有时含，有时挺，有时凸，有时凹。这是身势动态，不能抓着这个含字，就说一定非含不可，成了规矩。”书一刊发，便引起了太极拳界轩然大波。

1999年第5期《太极》杂志，发表了陈龙骧先生《李雅轩先生对〈太极拳体用全书〉的眉批》一文，该文又在《武林》2000年第8期以《李雅轩对〈太极拳体用全书〉的批评》为题再次发表。两文公开了李雅轩先生生前对《太极拳体用全书》一书眉批内容。顿时，整个太极拳理论界犹如被扔进了川菜的红汤火锅一般，麻辣香浓，五味杂陈，沸腾开了。李雅轩先生在《太极拳体用全书》的例言前，眉批云：“老论中无含胸拔背之说，只有虚灵顶劲、气沉丹田，亦无松肩垂肘之说。盖气沉丹田，一身松舒，含胸拔背、松肩坠肘自然有之。若单注意去作含胸拔背、松肩坠肘，恐与身心舒适有碍。学者不可不慎。尤不可专注意此十要点也。只须注意一身松舒，虚灵顶劲，气沉丹田，则十要点自然有之，而且来得自然。否则必致勉强做出，与自然大有妨碍也。”并将《太极拳体用全书》的诸多“讹误”，归结为校订者郑曼青先生“学拳未久，不懂拳意，自己想造出来”。

李雅轩先生多次提到的老论，应该是指传统的太极拳理论。李雅轩先生眉批中对郑曼青先生的责难，家师金仁霖曾撰文《为〈太极拳体用全书〉正名》，发表在台湾《太极学报》第二十二期中予以澄清。而“含胸拔背”究竟是不是传统太极拳理论？是陈微明从形意拳中沿袭而来，还是郑曼青等杨家弟子“想造出来”？或者说，“含胸呼吸”果真如唐豪所说只是“太极拳之妖妄”？“含胸”的养生、拳艺上的功效究竟如何？这些问题，二水以为有进一步梳理的必要。

1931年，文光印务馆出版杨澄甫老师《太极拳使用法》一书。书中数次出现“含胸拔背”相关的文字：“太极拳起势预备”云：“胸微内含，脊背拔起，不可前俯后仰”；“第四节 揽雀尾按法”云：“沉肩、坠肘，坐腕、含胸”；“第六节 提手上式用法”云：“胸含、背拔、腰松、眼前视”；

"第九节 手挥琵琶式用法"云："含胸、屈膝坐实"；"第十五节 如封似闭用法"云："同时含胸坐胯"；"第三十五节 高探马用法"云："松腰、含胸"；"第三十八节 左转身蹬脚用法"云："含胸、拔背、松腰"；"第四十二节 进步栽捶用法"云："胸含，眼前看，则敌自站立不稳"；"第四十八节 双峰贯耳用法"云："头顶、腰松、背拔、胸含"；"第六十节 玉女穿梭头一手左式用法"云："头顶、腰松、胸含、背拔、眼前看，则敌自倾"；"第八十八节 上步七星用法"云："拔背含胸，头要顶劲，眼神往前注视"；"第八十九节 退步跨虎用法"云："拔背含胸，头顶劲，眼神前看"。

1934年2月初版的杨澄甫老师《太极拳体用全书》一书，也多处出现"含胸拔背"相关的文字："例言"云："太极拳要点，凡有十三：曰沉肩垂肘、含胸拔背……"；"太极拳起势"云："含胸拔背，不可前俯后仰"；"揽雀尾按法"云："沉肩垂肘，坐腕，含胸"；"提手上式"云："胸含背拔，腰松眼前视"；"手挥琵琶式"云："我即含胸、屈右膝坐实"；"如封似闭"云："同时含胸坐胯"；"高探马"云："松腰含胸"；"右分脚"云："含胸拔背，定力自足"；"转身蹬脚"云："含胸拔背，松腰，尤须虚灵顶劲"；"进步栽捶"云："胸含，眼前看，尤须守我中土为要"。

《太极拳使用法》一书由杨澄甫著，董英杰先生编述，《太极拳体用全书》也系杨澄甫著，由郑曼青校。郑曼青在校此书时，只是在《太极拳使用法》一书的基础上，做些文辞上的修饰，除了"右分脚"式，《太极拳使用法》一书中没有"含胸"字样，而《太极拳体用全书》增加了"含胸拔背，定力自足"之外，《太极拳体用全书》的双峰贯耳、玉女穿梭、上步七星、退步跨虎四式中，反而剔除了"拔背含胸"等作为普遍身法要领的相关文辞的赘述。由此可见，李雅轩先生就此问题上责难郑曼青先生"学拳未久，不懂拳意，自己想造出来"，显然是不符合实际的。1948年8月初版董英杰自编的《太极拳释义》一书，在"经验谈"一节之"七提顶吊裆"中谈到："收劲时胸要稍稍含虚，发劲时要天柱微直，切不可含胸驼背"，书中尚有数处谈及“涵胸”或“涵胸拔背”；“太极起式”：“练拳不可闭口藏舌，又不可时时涵胸拔背。此法是有时间性者。到收回时才可涵胸。有涵胸自然有拔背。千万不可自作拔背驼形为要”；“揽雀尾攦式”：“两掌距离尺许，向左涵胸拉回（即是攦）”；“如封似闭”：“右腿与身形同时缩回，有涵胸意”。

而微明先生笔述的此则“含胸拔背”之外，在下文书中所描述太极拳式的所有动作要领时，丝毫不提“含胸”或“含胸拔背”。无独有偶，郑曼青编著《郑子太极拳自修新法》一书，书中“功架三十七式之分释及图解”，详细描述了拳架中每招每式的动作要领，而对“含胸”的要领，也只在第一式中稍有涉及：“立定时，头宜正直……含胸而使其气沉丹田……”全书其余各式均不再谈及。“含胸而使其气沉丹田”，显然是从陈微明先生“涵胸者，胸略内涵，使气沉于丹田也”句化出。

对比上列著作中“含胸”“含胸拔背”的相关文辞，我们不难发现，董英杰、陈微明、郑曼青等先生所自编的著作中，无论用词习惯，还是对此技术要领的理解，均与杨澄甫老师的两书风格迥异。由此也不难判定，杨澄甫老师《太极拳使用法》《太极拳体用全书》中的“含胸”“含胸拔背”相关文字，不可能是陈微明、或董英杰、或郑曼青所纂入，而是《太极拳使用法》编撰之前杨家所藏底本初稿中原有的动作要求。

孙禄堂五大拳学理论中，有含胸的阐述，但找不着“含胸拔背”连用的现象，而且更找不着“拔背”两字。但是，含胸拔背的要义，依然能在孙老的五大武学著作中随处可见。《形意拳学》总纲第五节“形意演习之要义”中，孙老先生谈到形意拳演习之要，云：“一要塌腰，二要缩肩，三要扣胸。四要顶，五要提，六横顺要知清，七起钻落翻要分明”，此要义中，以“塌腰”来带动“拔背”，以“缩肩”“扣胸”来替代“含胸”。孙老先生云：“塌腰者，尾闾上提，阳气上升，督脉之理也；缩肩者，两肩向回抽劲也；扣胸者，开胸顺气，阴气下降，任脉之理也。”孙老虽然没有直接使用“含胸拔背”，其实通过这三要，已经阐明了“含胸拔背”的要义。此七要，在孙老编著的《八卦拳学》第三章“入门练习九要”中，改作了九要。“九要者何？一要塌，二要扣，三要提，四要顶，五要裹，六要松，七要垂，八要缩，九要起钻落翻分明。”在胸背的要求上，除了“扣”“缩”之外，又强调“松”字。这里的“松”，讲的是开肩的概念。他说：“松者，松开两肩，如拉弓然，不使膀尖外露也。”两肩松开，如拉弓状，二水以为重点在于锁骨往左右两端有拉开之意，一方面两手之间似有联络，另一方面，也便于胸腹全然地掏空，周身灵通。第八章“两仪学”第二节中，对“缩肩”有明确的解释，他说：“两肩似乎有往回缩劲之意，亦谓之含胸也。”第九章“四象学”之第三节云：“两肩里根亦均往回缩力，亦是含胸之意。”同章第六节云：“两肩前后极力缩住劲，两胯前后里根亦极力缩住劲，此时腹内要似觉圆圈空虚一般，若是，方能得着拳中之灵妙。”同章第七节云：“内中何以能虚空之意？即着两肩两胯里根，皆往回缩劲，则胸中自然有虚空之意，而腹内亦不能有努气拥挤之患也。”第十五章“艮卦熊形学”里谈到拳之顺谬时说：“其拳谬，则丹田之阳，不能生于背脊，而胸内不能含合，心火亦不能下降矣。”孙老详细阐述了含胸的训练方法，还从正反两方面指出了含胸之于拳艺的深远意义。他的《太极拳学》里，虽然也反复强调两肩里根与两胯里根即速往回缩劲，腹内要圆满虚空等，但是通篇不见“含胸拔背”字样。由此看来，孙老五大学著中，虽然随处可见含胸拔背的要领，但却找不出含胸拔背的说辞。由此足证：此“含胸拔背”四字，不属于孙家拳艺之习惯用语。那么将此四字，说是“陈微明早先跟孙禄堂练过形意拳”，采自孙家，而“添了这句含胸拔背”。李雅轩老师的这种说法，也未必站得住脚。

那么，“含胸拔背”，究竟从哪里来的呢？其实，“含胸”，是陈氏太极拳的重要理论。陈鑫在第二势懒擦衣中图说云：“胸间松开，胸一松，全体舒畅”；第六势搂膝拗步图说云：“胸如鞠躬向前微弯，四面涵住”；第十三势庇身捶图说云：“胸要含蓄，用合精合住”；第十五势肘底看拳图说云：“胸要含住精，又要虚”；第三十七势前昭图说云：“胸向前合”，第三十八势后昭图说云："胸微弯如磬"，第四十二势懒擦衣图说云："胸要虚含如磬"，第四十三势单鞭图说云："胸微合住，作包含势"，第五十四势懒擦衣图说云："胸向前合住精，胸微弯，自然合住"；第六十四势当头炮图说云："胸要向前合住，空空洞洞，万象皆涵，极虚"。陈鑫虽反反复复强调含胸要领，但是细细究来，只是对含胸外在形态的描述，并不是切实有效的训练方式。较之孙老先生的上述理论，其一为旁观者言，其一系练家子言，不作同日而语。倘若按照陈鑫"胸向前合""胸微弯如磬"，太极拳将成为"弯转拳"了，嘉兴人俗称河虾为"弯转"，练太极拳者，长此以往，一个个都成了弓背如虾了。

武禹襄从杨露禅学拳十数年后，得王宗岳《太极拳论》，复受李呈芬《射经》身法要领之启发，制定了太极拳身法八要，云："涵胸、拔背、裹裆、护肫、提顶、吊裆、腾挪、闪战"。"闪战"疑为"闪赚"之误。涵胸、拔背，显然从《射经》："胸恶前凸，背恶后偃"中化出。李亦畬老三本之《启轩藏本》内附"虚实阴阳图"，胸口部位像是剖面图，胸口凹陷如玉珏，形状十分夸张。两旁各写"运"与"动"字样，直观而又形象地解密了太极拳涵胸拔背的要义。之后，武禹襄的"涵胸拔背"连同他从舞阳盐店所得的王宗岳《太极拳论》以及他的《打手要言》心得等，从此也成了杨家太极拳早期的重要理论。受武禹襄身法八要的影响，太极拳涉及胸背部位的要领，由"涵胸、拔背"，改作"含胸拔背"，也就自然成了杨式太极拳重要的身法要领之一。

民国十六年文华图书印刷公司初版的徐致一先生编著的《太极拳浅说》一书，第五章"太极拳与生理之关系"中，从"增强不随意肌之运动力"角度，阐述了"涵胸拔背"的重要性。他说："太极拳对于躯干部分之姿势，其最要者曰'涵胸拔背'，涵胸者，乃使心窝微向内凹，俾内部横膈板，因胸膛向内压迫，自然降下，以为沉气之助也。拔背者，乃使背部微如弓背之突出，俾脊柱之背椎部分，可有前挺式浅弓形，练成后挺式浅弓形，俾背椎部分因前后皆能运动，而无形中脊柱全部可使回复初生时之垂直性。"在当时的历史背景下，徐致一先生能够从“随意肌”与“不随意肌”的角度来分析“含胸拔背”的重要性，实属首创性的见解。

由此可见，无论“含胸”还是“涵胸”，已经成了陈、杨、武、孙、吴诸派太极拳的共同身法要领。

针对唐豪“内部呼吸器官的运动，是应该扩胸，而不应该含胸的，这也是运动生理学上不可否认的话”的论点，1961 年 2 月 16 日（年初二）下午，金仁霖老师在张晋良医师的陪同下，到上海纺织第一医院放射科（该院放射科主治医师田淑仪，即张晋良医师的太太），去测试“腹式顺、逆呼吸的 X 光透视观察”。顺式呼吸，采取唐豪所说的“内部呼吸器官的运动，是应该扩胸”的概念，即，吸气时，扩胸，呼气时回复正常。而逆式呼吸，则是采用吸气时，敛腹含胸，呼气时回复正常的呼吸法。观察结果是，无论是逆式呼吸还是顺式呼吸，吸气时，胸膈肌呈下降状态，呼气时，胸膈肌呈上升状态。为此，将胸膈肌上下升降的距离，称为胸膈肌运动的动程，以测定两种呼吸的数据。经进一步透视观察，得到的数据为：在极度呼吸时，顺呼吸膈肌动程 7.2 厘米，逆呼吸膈肌的动程 9.2 厘米，两者相差 2 厘米；在一般正常呼吸时，顺呼吸膈肌动程 4 厘米，逆呼吸膈肌动程 6.4 厘米，两者相差 2.4 厘米。不论是极度呼吸还是一般正常状态下的呼吸，就胸膈肌上下升降的动程而言，逆式呼吸，都要比顺式呼吸动程大。

根据生理学常识，胸膈呈钟罩状，静止时原本隆起，介于胸腔和腹腔之间，构成胸腔的底。吸气时，随着吸气肌（膈肌与肋间外肌）收缩，胸膈隆起的中心下移，从而增大胸腔的上下径，使得胸腔和肺容积增大。胸膈下移的距离就是金老师测定的动程。通常膈肌下降 1 厘米，胸腔和肺容积可以增大 250～300 毫升。吸气，因为需要调动胸膈肌与肋间外肌的收缩，所以吸气是主动的。呼气时，不是由呼吸肌收缩引起的，而是由膈肌和肋间外肌舒张的结果，肺依靠本身的回缩力量，而得以回位，并牵引胸廓缩小，恢复吸气开始的位置。因此，呼气是被动。

在逆腹式呼吸的吸气时，随着敛腹含胸，伴随着胸肋软骨与胸骨的下陷，促使膈肌与肋间外肌的运动幅度增大，从而使得膈肌下降的动程增大。胸膈像活塞一样的下行，使得肺在肋条肌神经支配下，带动肺泡，往胸腔横下、腹部纵深向扩张。而扩胸式的顺式吸气，随着吸气时的鼓腹、扩胸，腹腔扩大了，胸腔无法往纵深扩张，也不能往胸腔横向扩张，因而，膈肌的动程受到了限制。唐豪所谓“内部呼吸器官的运动，是应该扩胸”，显然是外行露底之言。

由此可见，吸气时敛腹含胸，呼气时回复正常，准确掌握这样一种逆式呼吸法，促使胸膈动程增大，以增大肺活量，这对健身的意义非常大。徐致一先生在民国十六年初版《太极拳浅说》一书中，涉及含胸拔背的生理机制的这些论点，二水以为非常具有前瞻性。他说：“惟人体肌肉有随意肌与不随意肌之分。随意肌常随意识而运动，不随意肌则属自动性质，而不受意识之指挥。欲增加不随意肌之运动力，除功深之人，能利用心理作用外，初学之人，则非藉重于适当之姿势不可。”太极拳作为内功拳的一种，首先是训练“内动”为要的。如何让原本不受意识指挥的不随意肌，也随着“适当之姿势”而增大其运动量，显然是太极拳“内动”所要解决的问题。“随意肌”是听命于人的意志控制，以骨骼肌为主，控制躯体的随意活动，以适应外界环境。“不随意肌”，指没有意志参与的，譬如平滑肌和心肌等，这些肌肉作用，使许多内脏器官具有自动性。

医学上说，除了人的中枢神经系统之外，人的外周神经系统分成两套，其一是躯体神经系统，又称“动物性神经系统”。这一神经系统通过感觉神经纤维、运动神经纤维来调控人的四肢百骸。“随意肌”就受命于“动物性神经系统”的调控。另一套外周神经系统叫内脏神经系统，又称“植物性神经系统”。这一神经系统，不受意识的调控，而是有着自主运动的特征。这一神经系统，通过交感神经和副交感神经两个子系统，对内脏肌和腺体的神经支配，对循环、消化等植物性功能进行控制、调节。那么，如何通过增加“不随意肌”的运动量，或者调控自身的情绪、心态，进而来调节植物性神经系统，抑制或兴奋植物性神经的作用，进而使得人的身心，时刻处于最佳状态，这便是太极拳“内动”所昭示的更为深层次的含义了。二水将太极拳定位在“一门调控身心的学问”，其本质含义，正在于此。太极拳运动，通过拳架、推手等训练，不但调控自己的身心，还能调控对手的身心。这层含义，将日渐被太极拳爱好者所认识到。

含胸拔背的技击作用，更是显而易见的。吴修龄谓石敬岩枪法，以对扎入手，须厚缚纸竹于肋下，革戳苦功三年者，形似蛮练，实则道破内功捷要。以枪对扎，即便厚缚纸竹，以护胸肋，久亦内伤。惟以胸肋贴背，下沉入地，枪接地气，方能“致人而不致于人”。孙老先生谓：“塌腰者，尾闾上提，阳气上升，督脉之理也；缩肩者，两肩向回抽劲也；扣胸者，开胸顺气，阴气下降，任脉之理也”，从任督二脉的角度，来谈论含胸拔背的拳艺意义。“两肩前后极力缩住劲，两胯前后里根亦极力缩住劲，此时腹内要似觉圆圈空虚一般，若是，方能得着拳中之灵妙”“内中何以能虚空之意？即着两肩两胯里根，皆往回缩劲，则胸中自然有虚空之意，而腹内亦不能有努气拥挤之患也”“其拳谬，则丹田之阳，不能生于背脊，而胸内不能含合，心火亦不能下降矣”，孙老从正反两方面指出了含胸之于拳艺的深远意义。

含胸拔背的技击含义，杨澄甫老师讲得更为浅白，更为彻底，他说：“能含胸，则自能拔背；能拔背，则能力由脊发，所向无敌也。”李亦畬《五字诀》之“三曰气敛”云：“务使气敛入脊骨，呼吸通灵，周身罔间，吸为合为蓄，呼为开为发。盖吸则自然提得起，亦拏得人起。呼则自然沈得下，亦放得人出。此是以意运气，非以力使气也”，道尽了含胸拔背之于太极拳的技击含义——“吸提呼放”之奥秘。

1964年，叶大密老师在为上海中医文献研究馆撰写《医疗保健太极拳十三式》时，在第一章第三节“练习太极拳的基本要点”中，分别以（五）敛腹含胸、（六）拔背顶劲两条，详细阐述了“含胸拔背”的训练方法以及医疗、拳艺上的作用。行文至此，二水抄录此节文字，以飨同好者：

敛腹含胸是一个动作的两个方面。敛腹是在吸息时将腹壁有意识地略为收缩，使和膈肌的收缩下降结合起来。含胸是紧接着敛腹，使胸部肌肉放松，胸骨正中第三、四肋间隙玉堂穴和膻中穴中间稍微有内吸的意思，这样可使胸廓下部得到充分的扩展，有利于肺活量的增加。敛腹含胸时腹压降低，丹田向上合抱，使内气从尾闾沿脊柱第四胸椎棘突间的身柱穴处提敛，这就是古人所说的“敛入脊骨”。敛腹含胸一般是在动作开始或转换变化时行之，在技击上是一个走化或蓄势的动作。对初学的人来说，只能先从外形的敛腹含胸着手。结合呼吸的提敛内气，可以留在后一步来做，避免发生偏差。

拔背顶劲也是一个动作的两个方面。拔背是在呼息时使两侧背部的肌肉群，如骶棘肌、棘肌、半棘肌等，由下而上地依次拉伸一下，然后竖起身躯，则在脊柱第四胸椎棘突间的身柱穴处，就有往上拔起的感觉。顶劲是紧接着拔背，由头棘肌的作用，松松竖起颈项，抬头向前平看，头顶百会穴处有凌空顶起的意思。拔背顶劲时，可使由敛腹含胸时提敛至脊骨身柱穴处的丹田内气，再从身柱穴沿督脉上升到百会，经前顶、神庭、印堂而龈交，由舌抵上腭的作用，接通任脉承浆，再沿任脉而下，回归小腹。这时丹田落归原位，膈肌上升恢复原来隆凸状态，腹部内压力增加，腹肌放松而有饱满舒畅的感觉。这就是古人所说的“气沉丹田”。这里应该注意的是：气沉丹田是配合着拔背顶劲的动作，并不单独存在。是意识引导丹田内气的作用，不是用力屏住呼吸往下硬压。拔背顶劲，一般是在动作的终了或成定式时行之。在技击上是一个放劲的动作。

三、松腰[①]。腰为一身之主宰，能松腰，然后两足有力，下盘稳固。虚实变化，皆由腰转动，故曰“命意源头在腰隙”。有不得力，必于腰腿求之也。

注释

① 松腰：古人腰胯不分，以“腰隙”“腰间”或“腰膝”通概之。后学者不明腰胯之别，动辄摇腰扭臀，贻误殊多。腰不宜前俯后仰的摇动，臀部不能左右扭摆。水蛇腰，中轴易弯，脚也不得灵便。扭臀腰背辄宜为人制。“落胯”之“落”，系“落实政策”之“落”。《尔雅》训诂：落，始也。腰宜松塌，胯便找着了原先固有的位置。胯一旦找到了自己的位置，盆骨就能摆正，命门就略微外凸，脊背“上下如一线串起”。立身如置高凳状，两脚方能灵便，活如车轮。田本《杨家传抄老拳谱》云：“车轮二，命门一，纛摇又转，心令气旗，使自然，随我便。”腰胯分离后，身躯如磨盘呈上下两盘，“磨转心不转”，讲的是上半身转腰时，胯部依然如坐高凳之上，不能扭动臀部，所谓上盘转动，下盘相对不动；另外，上盘转动时，其实也不是腰在转动，而是身躯内的“轴线”带着腰在转动。而这里的轴线，就像是铰链中的轴线，铰链的开合，轴线是不随之而动的。收臀、敛胯、提肛，目的是盆骨摆正，命门略微外凸。如此，下丹田成矣。田者，基也。基者，灶也。有了灶，盆骨摆正了，方能炼丹。仙道之流，百日筑基，其实也只是此番要领。此为下盘功夫。

四、分虚实[①]。太极拳术，以分虚实为第一义。如全身皆坐在右腿，则右腿为实，左腿为虚。全身坐在左腿，则左腿为实，右腿为虚。虚实能分，而后转动轻灵，毫不费力。如不能分，则迈步重滞，自立不稳，而易为人所牵动。

注释

① 分虚实：即要求两肩胯所内涵的两根虚拟的“轴”，像圆规两脚一

样，分清虚实，且可以相互变换虚实。“退圈容易进圈难，不离腰顶后与前”，讲的就是前后“腰顶”的变化法则。实轴是研，是天平的根株也。虚轴在实轴“研”动下，构成了气如车轮的“圜”。所以，当拳势右向运转时，必定以右侧的肩胯为“研”，以带动左侧身形气如车轮的“圜”；当拳势左向运转时，必定以左侧的肩胯为“研”，以带动右侧身形气如车轮的“圜”。两“圜”就像两个大车轮，带动身形的进退顾盼。虽然有两个车轮，但在拳势运行中，始终只是或左或右，或虚或实，像左右变换车轮的独轮车，其实始终只有一个车轮在发挥效用。“车轮两，命门一，纛摇又转，心令气旗，使自然，随我便”，两车轮在虚实变化时，作为指挥两车轮变化的“枢机之轴”，就像军营中指挥作战的大旗（纛），在“不离腰顶后与前”时，一定会有些许的“摇又转”。这一现象，倘若体现在推手之中，就会出现“断接俯仰”的现象。解决“断接俯仰”处的细微变化，就成了推手中真假懂劲的关键之处。手，是天平的托盘，拳者，权也。就太极拳运动形式而论，两轴互为虚实，研圜相生、圜研相合，身形随着两轴互换的“摇又转”中，极其舒展之能，两手如天平的托盘一般，尺寸分毫，感知运动变化之妙，成了推手中最重要的身形法则。如是方能如孙禄堂所说：“在各式圜研相合之中，得其妙用矣”。

五、沈肩坠肘[1]。沈肩者，肩松开下垂也。若不能松垂，两肩端起，则气亦随之而上，全身皆不得力矣。坠肘者，肘往下松坠之意。肘若悬起，则肩不能沈，放人不远，近于外家之断劲矣。

注释

① 沈肩坠肘：沈肩坠肘的目的，旨在将手上的各个关节，要求节节分散，然后节节贯穿，落实到肩肘腕指，应做到：开肩、坠肘、立腕、腆掌、

舒指。目的是劲路畅通。“其根在脚，发于腿，主宰于腰，形于手指，由脚而腿而腰，总须完整一气”，同时，气血也随之下行。气血布于全身，劲路达于四梢。沉肩的“沉”，容易误解为“塌”，所以不妨有“开肩”意。开肩，旨在含胸，锁骨往两边对拉，略微撑开如门闩，肩背的劲路达于肘尖。此乃锁骨之“锁”意，黄百家云：“斗门深锁转英豪”。坠肘，旨在肘的敏捷，如长眼耳，也便于劲路达于手腕。立腕旨在肘的相对定位，劲路得以贯穿掌跟。腆掌，旨在涵空掌心，劲路达于指尖。舒指，旨在牵动鹄星，意念随之达于对手中轴后某一点，如呼云邀月。如是使得完整一气。

六、用意不用力。太极论云[①]：“此全是用意，不用力”，练太极拳，全身松开，不使有分毫之拙劲，以留滞于筋骨血脉之间，以自缚束[②]，然后能轻灵变化，圆转自如。或疑不用力，何以能长力？盖人身之有经络，如地之有沟洫，沟洫不塞而水行，经络不闭而气通。如浑身僵劲，充满经络，气血停滞，转动不灵，牵一发而全身动矣。若不用力而用意，意之所至，气即至焉。如是气血流注，日日贯输，周流全身，无时停滞。久久练习，则得真正内劲。即《太极拳论》中所云：“极柔软，然后能极坚刚”也。太极功夫纯熟之人，臂膊如绵裹铁，分量极沈。练外家拳者，用力则显有力，不用力时，则甚轻浮，可见其力，乃外劲浮面之劲也。外家之力，最易引动，故不尚也。

注释

①太极论云：盖指李亦畬之《五字诀》。“此全是用意，不用力”句，出自李亦畬《五字诀》之“心静”。原文作：“心不静，则不专，一举手，

前后左右全无定向，故要心静。起初举动，未能由己，要息心体认，随人所动，随屈就伸，不丢不顶，勿自伸缩。彼有力，我亦有力，我力在先。彼无力，我亦无力，我意仍在先。要刻刻留心，挨何处，心要用在何处，须向不丢不顶中讨消息。从此做去，一年半载，便能施于身。此全是用意，不是用劲，久之，则人为我制，我不为人制矣。"

②束：当作"柬"。

七、上下相随。上下相随者，即《太极拳论》中所云："其根在脚，发于腿，主宰于腰，形于手指。由脚而腿而腰，总须完整一气"也。手动腰动足动，眼神亦随之动，如是方可谓之上下相随。有一不动，即散乱矣。

八、内外相合。太极所练在神，故云："神为主帅，身为驱使"①。精神能提得起，自然举动轻灵。架子不外虚实开合。所谓开者，不但手足开，心意亦与之俱开。所谓合者，不但手足合，心意亦与之俱合。能内外合为一气，则浑然无间矣。

注释

①神为主帅，身为驱使：源出武禹襄《打手要言》解曰："心为令，气为旗，神为主帅，身为驱使。所谓'意气君来骨肉臣'也。"

二水按：十三势行工歌之"意气君来骨肉臣"句，误解最深。后世学者，不知君臣纲常，或将语词改作"意气均来骨肉沉"，自作解人。其实武禹襄"心为令，气为旗，神为主帅，身为驱使"句，已将心、气、神、身躯之间的君臣纲常，阐述得至为详尽。后文"解曰"中又反复强调"先在心，后在身"。杨氏传抄本"十三势行工心解"中，整合武禹襄的解曰中注解

“命意源头在腰隙”“屈伸开合听自由”语意，排比成：“以心行气，务令沉着，乃能收敛入骨。以气运身，务令顺遂，乃能便利从心”，将“意气”与“骨肉”之间的这对“君臣”关系，阐述得十分具有可操作性。

九、相连不断。外家拳术，其劲乃后天之拙劲，故有起有止，有续有断，旧力已尽，新力未生，此时最易为人所乘。太极用意不用力，自始至终，绵绵不断，周而复始，循环无穷。原论所谓“如长江大河，滔滔不绝”，又曰“运劲如抽丝”，皆言其贯串一气也。

十、动中求静。外家拳术，以跳踯为能，用尽气力，故练习之后，无不喘气者。太极以静御动，虽动犹静。故练架子，愈慢愈好，慢则呼吸深长，气沉丹田，自无血脉偾张①之弊。学者细心体会，庶可得其意焉。

注释

① 偾张：指血脉扩张突起，心动过速。纪昀《阅微草堂笔记·如是我闻三》：“夫金石燥烈，益以火力，亢阳鼓汤，血脉偾张，故筋力倍加强壮。”

太极拳式

阅以下说明，参观附图，尤为明瞭[1]。

揽雀尾

向南正立，两足平行分开，与两肩齐。[2] 眼向前视，两手下垂。此太极未动之形式也。如第一图。

图 1　揽雀尾

注释

① 明瞭：瞭，目睛明也，清晰，通“了”。明瞭，也作“明了”。

② 两足平行分开，与两肩齐：指两脚平行步站立时，两脚的间距，应与两肩内侧同宽。倘若理解为两肩外侧的宽度，那么两脚就会有力支撑，脚踝骨就不易放松，松腰落胯的要领，也就难以达成。

两手毫不着力，向前向上提起，提与胸平，手心向下。两臂稍屈，不可太直，与腰同时下沉。左手转至丹田，手心向内，向前伸出（此即是掤），略与胸齐。右手同时向右、向下分开，手心向下，五指向前。左足同时直向前进，此时全身坐在左腿，右足伸直不动，左实右虚。如第二图。

图2 揽雀尾

右手随腰，同时转至左手处，手心随转向上；左手亦随腰转，手心随转向下，两手如捧一圆球。右足往西迈，足尖正向西，与左足略成丁字形。右手左手随腰、随右腿，同时向西圆转，右手在前，左手在后，右手心向上向内，左手心向下向外，如抱圆球。眼亦随向西视。此时全身坐在右腿，左腿伸直。凡两足之距离，人之长短不同，以各人之最适处为度。

右手与左手，随腰往右圆转，右手心随转向下，左手心随转向上，右手在上，左手在下，与腰同时往回收。全身坐在左腿（此即是握），左腿变实，右腿变虚。如第三图。

图3 揽雀尾

右手随动，手心随转向后向内；左手随动，手心随转向前向外，左手心距离右手脉门二寸许（此即是挤），两手同时向西挤出。腰亦随之前进，至右腿变实，左腿变虚。如第四图。

两手与腰与腿，同时往回松，两手收回时，略向上提，手尖向前，手心向下，收至左腿坐实，① 两手复同时往西按出，两手心向外，手尖向上，垂肩坠肘，略与胸齐（此即是按）。右腿复实。如第五图。

图 4　揽雀尾

图 5　揽雀尾

注释

① 两手与腰与腿……收至左腿坐实：此节文辞精炼之至。两手与腰与腿，往回时，用一“松”字，盖唯有“认真”于四正规矩手的人，方能会心的。此一“松”字，像是中国传统绘画中的大写意，形态简洁神妙，笔墨洗练豪放。而“两手收回时，略向上提，手尖向前，手心向下”一节，则像是工笔，能精确摹状形态。在四正规矩手中，挤劲时，右脚在前为实脚，左脚在后为虚脚，而按劲的全过程，则是需要将后坐的身躯，整体地向前坐实，由此可见，挤劲至按劲之间，在拳架的衔接上是需要补充一个过渡动作的，

否则两动之间就显得唐突。诚如《太极拳刀剑杆散手合编》所说：“然于掤攦挤按外，尚须有一化字，否则不能连贯。”此往回“松”字，在化尽对手劲力，保护自身中轴的同时，让自身身形摆正，也为下一势的按劲做足了准备，拳势的“掤攦挤按”，在四正规矩手中，终得以“掤攦挤化按”，而环环相扣，势势相承。

单鞭

两手与腰、与腿，复同时往回松。右手屈回，如画一小圆规，复往西松直，五指旋即垂下，变为吊手。左手与右手同时屈回，由左而右，如画一大圆规，转至右肩时，手心向内。右足向西者，将足跟转使向南①，全身坐于右腿上。此时左足亦同时向东迈去，足尖略偏于北；此时右足跟亦同时转动，足尖略向东南，全身坐于左腿上，左腿变为实。左手随动随转，变成朝外，往东变成单鞭，与左足同一方向。右腿伸直，眼神随之。如第六图。

图6　单鞭

注释

① 将足跟转使向南：后附之校正表中更正为“将足跟转动，使足尖向南”。

二水按：“足跟转”，今人语境中，容易误解成“足跟转动”。其实，应该理解为以足跟为圆心，作“研”，以脚尖转动，作“圜”，变动的是脚尖的方向。

图7　提手

提 手

左足跟转向南[①]，左右两手同时相合，随腰转向西南。右手略前，左手略后，两手心相对，沉肩坠肘，须松开捧起，不可有夹劲。右足同时提向西南，后跟点地，足尖略翘起。眼神亦随之。此式左腿为实，右腿为虚。如第七图。

注 释

① 左足跟转向南：此节也应更正为“左足跟转动，使脚尖向南”。

白鹤亮翅[①]

右足略进半步踢实，使足尖向东南，全身随坐在右腿上。两手与腰同时而转，右手转下，手心向上；左手转上，手心向下，两掌斜对如抱圆球，随即分开。右臂随腰向西南，往上提起，眼神随之，提至右手心转向外，眼神渐渐转向东；左手同时往左分，转至手心向下。左足随提前，脚尖点地，正对东向。此势右腿变实。如第八图。

图8　白鹤亮翅

注释

① 白鹤亮翅：对照许禹生《太极拳势图解》、微明先生《太极拳术》，乃至杨澄甫老师《太极拳使用法》《太极拳体用全书》，杨澄甫老师白鹤亮翅的定势与他退步跨虎的定势几乎相同。

二水按：中国书店《太极拳选编》的白鹤亮翅之第八图，采用此书退步跨虎之第四十八图，而退步跨虎图，则采用此白鹤亮翅之第八图。两图颠倒混用。

许禹生《太极拳势图解》中的白鹤亮翅图一，也依据此书第四十八图杨澄甫老师的退步跨虎照为摹本勾勒成图的。许禹生《太极拳势图解》的退步跨虎图，则依据此第八图杨澄甫老师白鹤亮翅拳照为摹本勾勒成图的。两图、两照片之间，外在的形态极其相似，只是由于其一是进步、其一为退步，照片在拍摄时的取景距离略有差异。神行上，退步跨虎的脸部更为内敛一些。所以依然可以看出，两拳势采用的是两张不同的照片。

而杨澄甫老师的《太极拳使用法》和《太极拳体用全书》，两书均采用杨澄甫老师晚年的同一套拳照，有趣的是，两书中白鹤亮翅与退步跨虎的照片，居然采用同一帧照片。

左搂膝拗步①

腰往下松，右手心转向后②，随腰下垂，往后圆转而上，转由右耳边按出；左手同时随腰而上，由胸前往右，搂至左膝外，手心复向下。左足同时随往东迈，腰随手前进，至左腿变实。如第九图。

图9　左搂膝拗步

注释

① 左搂膝拗步：中国书店《太极拳选编》本，此拳势名为“搂膝拗步”。拗，古同“拗”。后同，不另注。

② 右手心转向后：中国书店《太极拳选编》本作“右手心转向外”。

二水按：上式白鹤亮翅定势中，“右臂随腰向西南，往上提起，眼神随之，提至右手心转向外”，右手手心已经向外了，转为左搂膝拗步时，随腰下松，右手也随之下垂时，倘若手心依然向外，整根右手臂都必定僵硬。更改后的“手心转向后”句，其实也容易误解为只是手心的翻动。叶大密老师在处理白鹤亮翅与左搂膝拗步两势的过渡时，其间左手以肘带小臂内侧，由右往左下作採劲，劲力透出左掌心，达指梢；同时，协同右手小臂，向左转臂，小臂内侧至左掌小鱼际，犹如刀刃，仰掌作劈，此为挒劲，杨澄甫《太极拳使用法》称“有刀掌剑指”者，盖此之谓也。之后，接左搂膝拗步时，“腰往下松，右手心转向后，随腰下垂”，就顺理成章了，因为仰掌劈向左的右掌心，原本是略向左上角的，随着松腰右转后，掌心自然由朝自己面容，再“往后圆转而上，转由右耳边按出”了。

手挥琵琶式

图10　手挥琵琶式

右足略提起，随落下。右手随身之落势，收回在后；左手随身，提起在前，两手心相对，如抱琵琶。沉肩坠肘，松开捧起，不可有夹劲。左足随身收近，足跟点地，足尖翘起，右腿仍实。如第十图。①

注释

① 左足随身收近……如第十图：第十图系杨澄甫老师早年在北京，由许禹生所拍摄的拳照。左脚尖显然是贴着地，没有翘起之意。而杨澄甫老师《太极拳使用法》之第九节手挥琵琶式，采用杨澄甫老师南下南京、上海、杭州后所拍摄的一组拳照。观该拳照，显然是左脚尖翘起的，身形也较第十图中正。

左搂膝拗步[①]

仍松腰，左手搂膝，右手往后圆转，随身往前按出。左腿变实。如前第九图。

注释

① 左搂膝拗步：此本目录中，与下式合称为"左右搂膝拗步"。中国书店《太极拳选编》本，此拳势名为"搂膝拗步"。

右搂膝拗步[①]

图 11　右搂膝拗步

左足跟转向东北[②]，腰下松。左手心转向外，随腰下垂，往后圆转而上，转由左耳边按出；右手同时随腰而上，由胸前往左，搂至右膝外，手心向下。右足随往东迈，腰随手前进，至右腿变实。右搂膝与左搂膝无异，惟左右不同耳。如第十一图。又变手挥琵琶式[③]。手挥琵琶如前第十图。

注释

① 右搂膝拗步：中国书店《太极拳选编》本，此拳势名为“左搂膝拗步”。左右式命名，易以搂膝的那只手来名之为是。杨澄甫《太极拳使用法》上两式“左搂膝拗步”，称作“搂膝拗步”，而此式“右搂膝拗步”，简称为“右搂膝”。

② 左足跟转向东北：宜更作“左足跟转动，使脚尖转向东北”。

③ 又变手挥琵琶式：后文附录校正表中，更正为“又变右搂膝拗步、手挥琵琶式”。

二水按：拗，同拗。但此式更正后的“右搂膝拗步”，也应作“左搂膝拗步”。前式右搂膝拗步之后，在杨澄甫老师《太极拳使用法》中，是第十二节“左搂膝拗步”。倘若不回到左搂膝拗步，那么此式的“又变手挥琵琶式”，应该与前式之手挥琵琶式，左右手足正相反，而不应该是“手挥琵琶如前第十图”，所以，应更正为“又变左搂膝拗步、手挥琵琶式”。

进步搬拦锤[①]

由琵琶式，两手心相对，随腰往左转，左手转至手心朝下，右手转至手心朝上，左手在上，右手在下。右手转至左肋际握拳，又随腰往右松，藏于右肋间。此时右腿同时提起迈一步[②]，使足尖朝东，全身坐于右腿上。左手亦同时随腰往前探出。如第十二图。

右足跟转向东南[③]，坐实。左手随往左搬拦，右拳随即打出，左手如扶右手肘内，手尖向上。左足亦同时前进坐实。如第十三图。

图 12　进步搬拦锤

图 13　进步搬拦锤

注释

①进步搬拦锤：杨澄甫老师《太极拳使用法》中，也是由第十三节手挥琵琶式，直接转至第十四节之进步搬拦锤式。而杨澄甫老师的《太极拳体用全书》中，则由第十三节的左搂膝拗步，演进为第十四节的手挥琵琶式，再由第十四节的手挥琵琶式，演进为第十五节之左搂膝拗步，之后才演进为第十五节的进步搬拦锤。

②右腿同时提起迈一步：后文附录校正表中，更正为“右腿同时提起前进一步”。

③右足跟转向东南：宜更正为“右足跟转，使脚尖向东南”。

如封似闭

左手旋穿出右肘，手心向上。两手随腰往后抽，左手心贴住右臂，渐移渐分，至两掌近于胸际。此时右腿变实。然后两掌复随腰前按，至左腿变实。如第十四图。

图 14　如封似闭

十字手

图 15　十字手

左足跟转向南[1]。两手先往上分开，向下圆转，后又由下而上，复合为斜十字。右足随右手同时移近左足，平行而立。此式面向南方。如第十五图。

注释

① 左足跟转向南：宜更正为“左足跟转动，使脚尖向南”。

抱虎归山

图 16　抱虎归山

右手向西北，左手向东南分开。右足随右手往西北迈步，此时全身尚坐在左腿。左手分开后，旋即转上，由耳边向西北按出。腰亦随之前进，即坐在右腿上。右手分开后，同时转至肋下，下垂，手心向上。如第十六图。

右手复转上，手心转向下，至左手处，两手随腰搬回，坐在左腿上，两手复挤出，按出，与揽雀尾同。

肘底看锤

两手按出后，如单鞭式，右手松直，手指稍垂，不必成为吊手。左足略提起，落下，足尖转向东南；右足随提起，往南迈，与左足相离二三尺许，足尖亦向东南。左手转至右肩时，不成单鞭，与右手同时随身、随步画一个大圆规，左手画至左边，复转回至胸际向东伸出，手心朝南；右手同时画至胸前时，遂握拳收回，藏于左肘下。左足同时提至右足前，足跟点地，足尖翘起。此式面正向东。如第十七图。

图 17　肘底看锤

倒辇猴

右拳旋松开，由左肘下，往后圆转而上，由右耳边按出，如搂膝拗步。而左足同时往后退步。使全身坐于左腿上，右足尖转向正东。如第十八图。

左手亦同时往后圆转而上，由左耳边按出。而右足往后退步，使全身坐在右腿上，左足尖转向正东。如第十九图。

两手如轮一来一往，左手出，则右腿实；右手出，则左腿实。或退三步，或退五步，或退七步，至右手按出。

图 18　倒辇猴

图 19　倒辇猴

斜飞式

图 20　斜飞式

右手按出后，腰向左松，全身坐在左腿上。右手随腰向左、向下，左手由左，圆转而上，使两掌相合，左手心朝下，右手心朝上，如抱圆球。右手旋[①]随右足，向西南分开，在上；左手向东北分开，在下；右手心仍在上，左手心仍在下。全身坐在右腿。眼神亦向西南。如第二十图。

注释

① 旋：旋即。

提 手

左足略起，复落下，两手收回相合，作提手式。右足亦略收回。如前第七图。

白鹤亮翅

如前第八图。

搂膝拗步

如前第九图。

海底针

右足不动。右手随腰收回，复随腰向下垂，手尖下指，手心向北。左足亦同时收回，足尖点地。左手仍在原处。眼神仍向前看。如第二十一图。

图 21　海底针

扇通臂

图 22　扇通臂

右足不动。两手随腰提起，右手提至额上，手心向南；左手提至胸际，向东按出。左足与左手同时前进。全身坐在左腿上。如第二十二图。

撇身锤

图 23　撇身锤

左足转向南，全身仍坐在左腿。左手曲肘西转，右手曲肘东转，左手掌心向南，右手握拳，拳心向下，如抱物状。眼神亦转向西。左足不动，两手随腰圆转向西，右手随腰往下松，藏在肋下，拳心向上；左手绕右拳上，往西按出。右足同时西转，足尖朝西，坐实右腿。如第二十三图。

上步搬拦锤

右拳由肋下提起，同左手随腰往左收回，由下而上，如画一椭圆。此时左腿坐实，右足略提起落下，足尖向西北坐实。进左步，左手搬拦，打右拳，与进步搬拦捶同。

进步揽雀尾单鞭

左足跟转向西南[1]。右拳松开，同左掌随腰往下松。坐实左腿，右足前进。右手心朝上，左手心朝下，变为揽雀尾式。

随又变为单鞭，如前第三、第四、第五、第六等图。

注释

①左足跟转向西南：宜更正为“左足跟转动，使脚尖向西南”。

抎手

单鞭之后，右手吊手，松开变为掌，手心朝下，随腰往下、往左圆转，转至左肩前，手心转向内，复往右转，随转，手心随转向下，须松松捧起，务令极圆。右足随右手往东，横移半步。左手同时亦松开，手心朝下，随腰往下、往右圆转，转至右肩前，手心转向内，复往左转，随转，手心随转向下，松捧如右手。左足随右手往东横移一步。两手圆转如轮，右手至左肩前，左手伸直；左手至右肩前，右手伸直。抎右手，眼神与腰随往右。抎左手，眼神与腰随往左。抎右手坐右腿，抎左手坐左腿。如第二十四、二十五两图。此抎手，或三步，或五步，或七步，即变为单鞭。

图 24　拦手

图 25　拦手

单鞭

右手拦直进，随变为吊手，左手遂变为单鞭。左足亦略向东北，如前单鞭一样。

图 26　高探马

高探马

左手随腰收回，藏于左肋下，手心朝上；右手同时曲肘，由耳边捧出，手心朝下。左足亦同时收回，足尖点地。腰收回时，随收，随往上提，故曰高探马也。此式右腿实。右第二十六图。

右分脚

图 27　右分脚

就原式，右手心朝下，左手心朝上，相对。右手在上，左手在下，随腰由右往左、往下圆转。左足同时随腰、随两手，往东北迈步。两手由下、又往上相合作十字。眼神向东南。此式左腿变实，右足提起，足尖下垂，向东南踢出，足背须平。两手同时两边分开，右手向东南，左手向西北，两掌俱坐起手腕[①]。手指向上。此式须浑身松开要有顶劲。不然则不稳矣。如第二十七图。

注释

① 坐起手腕：须有含胸、开肩、坠肘、立腕、腴掌、舒指之意，身形左右展开，如大鹏展翅。故又称之“翅脚”。

左分脚

图 28　左分脚

右足踢出，旋即收回。右手由右往左，与左手手心相对，左手在上，右手在下；同时随腰由左往右、往下圆转。右足同时随腰、随两手，往东南迈步坐实。两手由下圆转，往上相合作十字。眼神向东北。左足提起，足尖下垂，向东北踢出，足背须平。两手同时两边分开，右手向西南，左手向东北，两掌俱坐起手腕，手指向上，与右分脚同。如第二十八图。

图 29　转身蹬脚

转身蹬脚

两手相合作十字，左足收回，仍提起，足尖下垂。右足跟转向北[①]。两手分开，左手朝西，右手朝东。左足蹬出，足心朝西，足尖朝上。此式身虽朝北，而眼神则随向西看。如第二十九图。

注释

① 右足跟转向北：宜更正为“右足跟转动，使脚尖向北”。

左右搂膝拗步

左足蹬出后，旋收回，足尖下垂，全身坐在右腿，左足前迈。左手搂膝，右手按出。复换步，右手搂膝，左手按出，与前皆同，惟中间无琵琶式耳。看第九、第十一图。

进步栽锤

图 30　进步栽锤

右足尖转向西北，左手搂膝，左足前迈，右手即由腰间向下打出[①]。如第三十图。

注释

① 右手即由腰间向下打出：后附校正表，更正为“右手同时随腰平转一小圆规，即由腰间向下打出”。

翻身白蛇吐信[①]

翻身白蛇吐信，与撇身锤相同，惟方向不同。左足转向北，全身坐在左腿。左手曲肘东转，右手曲肘西转，左手掌心朝北，右手掌心向下，如抱物状。眼神亦转向东看。左足不动，两手随腰圆转向东，右手随腰往下松，藏在肋下，手掌心朝上。与撇身锤不同者，惟右手用掌不握拳。左手绕右掌上，往东按出。右足同时东迈，足尖朝东。

注释

① 翻身白蛇吐信：许禹生《太极拳势图解》中，无“白蛇吐信”名目，此式作“翻身撆身锤”。杨澄甫《太极拳使用法》《太极拳体用全书》两书中，皆将此式列作第四十二节，名为“翻身撇身锤”，而第七十七节，才是“转身白蛇吐信”。

上步搬拦捶

右足跟转向东南①，全身坐在右腿上。两手随腰往回收，圆转而上，右手向前打拳，左手随之，以掌扶右腕，掌心朝南。左腿同时前迈变实。与前第十三图相同。

注释

① 右足跟转向东南：宜更正为“右足跟转动，使脚尖向东南”。

图31　蹬脚

蹬脚

左足跟转向北①。两手相合，作十字。全身坐在左腿，右腿提起、蹬出。两手随之分开，与转身蹬脚同，惟左右脚不同耳。此式身向北，眼向东看。如第三十一图。

注释

① 左足跟转向北：宜更正为“左足跟转动，使脚尖向北”。

左右披身伏虎式

右足收回，垂足尖，落于左足处。左手往右，与右手同时，随步随腰，往下往西，圆转而上，握拳，手心朝外；右手由丹田而上，至胸际，握拳，手心朝内，左手在额之上，右手在胸之下，上下相对。两手转时，左足同时往西横移，全身坐在左腿，右腿伸直。此式面向正北。如第三十二图。

左足尖转向东北。两手随腰右转[1]，向于东南，左手由上往左，圆转而下，转至胸际，手心朝内；右手由下往右，圆转而上，转至额上，手心朝东南。右足同时随腰，转向东南，[2] 全身坐在右腿，左腿伸直。此式面向东南。如第三十三图。

注释

① 两手随腰右转：后文附录之校正表，更正为“两手仍握拳随腰右转”。

② 右足同时随腰，转向东南：后文附录之校正表，更正为“右足同时提起，迈步，随腰转向东南”。

图 32　左右披身伏虎式

图 33　左右披身伏虎式

回身蹬脚

左足跟复转向北[1]，身亦随之。两手相合，作十字。左腿坐实，右腿蹬出。两手分开，与翻身蹬脚相同。

注释

① 左足跟复转向北：宜更正为"左足跟转动，使脚尖复转向北"。

双风贯耳

图 34　双风贯耳

右足蹬出后，旋收回，仍提起，足尖下垂，左足跟转向东北[1]。两手相合，手心转向内，合至右膝处，复往下，两边分开，手心渐转，向外、向前、向东南，相对圆转，而至前面，两手握拳相对，拳心向外。两手合至右膝时，右腿随腰往下松，随松随转，向东南迈出，全身坐在右腿，左腿伸直。如第三十四图。

注释

① 左足跟转向东北：宜更正为"左足跟转动，使脚尖转向东北"。

左蹬脚

右足跟转向南[1]。两手相合，作十字。全身坐在右腿，左腿向东蹬出，与前转身蹬脚相同，惟此面向南耳。

注释

① 右足跟转向南：宜更正为“右足跟转动，使脚尖向南”。

转身蹬脚

左腿蹬出后，收回，仍提起，不落下。全身随右足尖转向北，左足落地，全身坐在左腿。两手复相合作十字。右腿蹬出，与翻身蹬脚相同，右足心朝东。

上步搬拦锤

右足蹬出后，仍收回，足尖下垂，落下，足尖向东南，坐实右腿。左手搬拦，右手打拳，与前皆同。

如封似闭、十字手、抱虎归山同前。[1]

注释

① 如封似闭……同前：此处省略了如封似闭、十字手两拳势。而抱虎归山，则在下势“斜单鞭”中略有介绍。

图 35　斜单鞭

斜单鞭

由十字手，右手向西北，左手向东南分开。右足随右手往西北迈步，此时全身尚坐在左腿。左手往西北挤出按出，与抱虎归山皆同①。惟双手按出后，左足往南迈，左手亦往南成单鞭式。斜单鞭与单鞭相同，惟方向向南耳。如第三十五图。

注释

① 由十字手……与抱虎归山皆同：至此，系“抱虎归山”的简略介绍。

野马分鬃

右手随腰往左，与左手相合，右手在下，手心向上；左手在上，手心向下。全身坐在左腿上，右足提起，往西北迈去。右手随右足往西北分开在上，左手同时往东南分开在下，右手心仍向上，左手心仍向下。全身坐在右腿。眼神亦向西北。此式与斜飞式相同，惟前手略低耳。如第三十六图。

换式，左手随腰往右，与右手相合，左手在下，右手在上；左手心朝上，右手心朝下。左足提起，往西南迈去。左手随左足往西南分开在上，右手同时往东北分开在下。眼神亦随向西南。如第三十七图。

此是左右野马分鬃，或三次，或五次，至右分鬃，换下式。

图 36　野马分鬃

图 37　野马分鬃

上步揽雀尾

左足向前迈半步。左手随左足同时向南捧出，右手略向北圆转，手心转至向下，又转至左手处，即成揽雀尾之起式。

以下均与揽雀尾相同。单鞭如前。

玉女穿梭

由单鞭式，左足跟转向南[①]，右足收回，落左足前，足尖向西。左手转出右肋外，左足向西南迈出，左手心向上，挨著[②]右臂，向上捧，随捧，手心随转向外，而至额上；右手由左手之下，随腰、随步按出。此式全身坐在左腿[③]。如第三十八图。

左腿坐实，足跟转向西北。[④]右手转出左肋外，手心向上。右足提起，向东南迈出。右手心向上，挨著左臂，向上捧，随捧，手心随转向外，而至额上；左手由右手之下，随腰、随步按出。此式全身坐在右腿[5]。如第三十九图。

复坐实右腿，进左步。两手如前，向东北捧出按出[6]。如第四十图。

复坐实左腿，足跟转向东南[7]，右足提向西北迈步。两手转向西北捧出按出[8]。如第四十一图。

图 38　玉女穿梭

图 39　玉女穿梭

图 40　玉女穿梭

图 41　玉女穿梭

注释

① 左足跟转向南：宜更正为“左足跟转动，使脚尖向南”。

② 著：古同“着”。后同，不另注。

③ 此式全身坐在左腿：后文附录校正表将此句补充为“此式全身坐在左腿，面向西南隅”。

④ 左腿坐实，足跟转向西北：后文附录校正表将此句补充为“左腿坐实，足跟转向西北，使足尖渐转向正东”。

⑤ 此式全身坐在右腿：后文附录校正表将此句补充为“此式全身坐在右腿，面向东南隅”。

⑥ 向东北捧出按出：后文附录校正表将此句补充为“向东北捧出按出，向东北隅”。

⑦ 足跟转向东南：宜更正为“足跟转动，使脚尖向东南”。

⑧ 两手转向西北捧出按出：后文附录校正表将此句补充为“两手转向西北捧出按出，面向西北隅”。

上步揽雀尾单鞭

左足向前进一步。左手向南捧，变为揽雀尾、单鞭。

抎手如前，或三次，或四次，或五次。

单鞭下势

单鞭式如前，左手按出后，身随腰收回，往下坐在右腿上，愈低愈好，低至左

图 42　单鞭下势

腿伸直。身不可太俯，头仍要有顶劲。左手随腰略收，转而向下，至左足腕[①]处，右手仍为吊手。如第四十二图。

注释

① 足腕：脚与胫接连处，即小腿肚下面。

金鸡独立

全身已坐在右腿，腰向前进，随进随提，使全身坐在左腿。左手随身向上，至与肩齐处，而往下按；右手随右腿，往前提起。右腿提至膝与腹平，足尖下垂。右手提至肘与右膝相合，手心向北，手尖朝上，与右眉齐。如第四十三图[①]。

右足旋向后退半步，使全身坐在右腿。左手随左足上提，左膝与腹平，足尖下垂，左肘与左膝合，手心向南，手尖朝上，与左眉齐，右手同时而往下按。如第四十四图。

图 43　金鸡独立

图 44　金鸡独立

注释

① 第四十三图：此图，提左脚，提左手，是金鸡独立的左式。下文的第四十四图，提右脚，提右手，是金鸡独立的右式。依照拳势，应该按照文字描述中，先金鸡独立右式，然后再演进为金鸡独立左式。所以，此两图片系颠倒误置。而中国书店《太极拳选编》本中，两图没有差错。

倒辇猴

右手往下按后，手心向前，往后圆转。左足同时往后退，使全身坐于左腿，右腿伸直。右手从右耳边按出，左手亦同时往后圆转，由左耳边按出。而右足往后退步，皆如前式。两手如轮，随转随退。或三次，或五次，或七次，看十八、十九两图。

斜飞式、提手上势、白鹤亮翅、海底针、扇通臂、撇身锤、上步揽雀尾、单鞭、抎手、单鞭、高探马皆如前。

十字腿

由高探马，坐实左腿。左手由右臂之上穿出，手心朝上；右手在左肋下，手心朝下。[1] 左足随左手向东迈去。左手伸出后，随即屈回向西，手心朝南；右手仍在左肋下，手心朝下。眼神随向西看。左足尖同时转向南，仍坐实左腿。如第四十五图。两手随即分开，右腿蹬出。

图 45　十字腿

注释

① 由高探马……手心朝下：此节文字，在杨澄甫《太极拳使用法》中，连同高探马，合并为第八十三节之“高探马代穿掌”，在《太极拳体用全书》更名为“高探马带穿掌”。

搂膝指膛锤

图 46　搂膝指膛锤

右腿蹬出后，落下坐实。左手搂膝，右拳向西向下打出。[①] 坐实左腿。如第四十六图。

注释

① 右腿蹬出后……向下打出：后文附录之校正表，此节补充为“右腿蹬出后，落下坐实，足尖向西北。右手下松，随腰、随右腿转一圆规，转至腰隙握拳，左手搂膝，左足前进，右拳向前、向下打出”。

上势揽雀尾

右拳松开，与左手右腿同时向上，向前，变揽雀尾如前。

单鞭下势

如前。

上步七星

图 47 上步七星

由单鞭下势，腰身前进，坐实左腿。两手随腰往前相交[1]，作斜十字形。右足随向前迈，足尖点地。如第四十七图。

注释

① 两手随腰往前相交：后文附录之校正表，此节补充为“两手随腰往前，握拳相交”。

退步跨虎[1]

图 48 退步跨虎

右足复向后退，坐实。两手分开，右手在上，手心朝东；左手在下，手心朝下。左足即随之退回，足尖点地。此式略如白鹤亮翅，惟身略低，两手更开。如第四十八图。

注释

① 退步跨虎：详见前文白鹤亮翅之注解。

图 49　转脚摆莲

转脚摆莲

左足提起，右足尖向南向西转动，全身即随之转一圆规，落下，坐实左腿。两手随身而转，随转随合。此时面复向东，右足提起，由左摆右。两手由右摆左，稍拍足背。如第四十九图。

图 50　弯弓射虎

弯弓射虎

拍后，两手随腰、随右足向右、向下圆转，又由下而上，转向东北，作射虎势。右足落下坐实。右拳在额上，左拳伸出。如第五十图。

上步搬拦锤

由射虎式，右手向下松，手心微朝上；左手向右松，手心微朝下，两手心相对，随腰往左松，变为搬拦锤，与前相同。

如封似闭、十字手均如前。

合太极

由十字手，往下按，归于起势，为合太极。如第一图。

以上所列各式，学者循序渐进，每日学之，至多不能过二三式，务求规矩悉合，不可贪多。初学之时，每式不能不断，至学完后，渐求联合一气。以前所列注意十事，均须刻刻体验。习之一二年，后天之力化尽，先天自然之内劲渐长。原谱所谓："以心行气，务令沈着，乃能收敛入骨"。练习架子，以神敛气沉为主，久之练气入骨，则浑圆绵柔，沈重坚刚，兼而有之。

推 手

推手者，所以求其用也。他种拳术，虽亦有二人对手者，然不过十余式，再多不过数十式耳。而来者其法不一，何能执定法以应之哉？太极推手，则有掤攦挤按採挒肘靠八字，此八字所以练其身之圆活。二人黏连绵随，周而复始，如浑天之球，斡旋不已，而经纬弧直之度，莫不全备。将此一身，练为浑圆之一体，随屈就伸，无不合宜，则物来顺应，变化而无穷矣。此所谓万法归一，得其一，而万事毕矣。

合步推手

甲乙①二人对立，甲左足在前，右足在后。乙左足在前，右足在后。此为合步推手。

注释

① 甲乙：黑衣为甲，系微明先生本尊。白衣为乙，系陈志进先生。

甲左足，乙右足，要平行相对；甲右足，乙左足，其距离宽窄，则各人长短不同，未能拘定，总以身体前进后退，得机得势，毫不觉费力为度。甲乙各出右手，以手腕背相黏，此谓之掤。如推手第一图（先出左手亦然）。

甲右手随腰往回收，以左手腕黏于乙右手之肘处，亦同时往回攦，此谓之攦。如推手第二图之甲。

乙被甲攦，则身倾于左方，似不得力。而乙之右手，随甲攦之方向送去，以左手掌补于右肘湾处，向前挤去，此之谓挤。如二图之乙。

图1

图2

甲被乙挤，似不得力，即含胸，以左手心黏乙左手背，往左化去，则乙挤不到身上矣。如第三图之甲。

甲之右手，同时按乙右肘处。两手同时向前按去，此之谓按。如第四图之甲。

图 3

图 4

乙又被甲按，似不得力，则仍以右手随腰往回收，以左腕黏甲右肘，往回攦。如四图之乙。乙攦甲挤，如第五图。甲挤乙掤，如第六图。乙按，甲又攦，如第七图。周而复始，循环无端。

图 5

图 6

图 7

掤攦挤按，掤字在前，如元亨利贞之元。仁义礼智之仁。盖兼乎三德也。盖挤时须掤，按时、攦时亦须掤。掤者，如手捧物之意。如挤、按、攦时不能掤，则彼力近我身矣。掤者，使两手臂如圆体之面，使彼力在圆球面上，圆球一动，则其力化去。若不掤，则彼力到圆球之心矣。或谓化敌挤时，两手掤起，谓之掤，亦通。掤攦挤按，二人循环为之。按时、挤时坐前腿，不可太过膝。掤时、攦时坐后腿。前进后退，腰如车轮，上下相随。原论曰："掤攦挤按须认真，上下相随人难进，任他巨力来打我，牵动四两拨千斤"也。

换步

换步者，甲坐左腿，进右步；乙坐右腿，退左步。是之谓换步。反之，乙进左步，甲退右步亦可。

换手

换手者，甲被乙攦时，不补挤而攦回，乙即补挤，手即换矣。

顺步推手

顺步推手者，甲左足在前，右足在后。乙右足在前，左足在后。谓之顺步推手，如第八、第九图。[①] 略备形式，手法均与合步推手相同，不必重述。

图 9

图 8

注释

① 第八、第九图：黑衣者，为甲，是许禹生先生。白衣黑裤者，为乙，是杨澄甫先生。

活步推手

活步推手者，甲乙二人对立，均左足在前，右手相黏。

甲攦乙，右步略腾起落下，左步退于右步之后，右步复退于左步之后。乙挤甲，左步略腾起落下，右步进于左步之前，左步复进于右步之前。

甲掤乙、按乙、挤乙，左步略腾起落下，右步进于左步之前，左步复进于右步之前。乙掤甲、攌甲，右步略腾起落下，左步退于右步之后，右步复退于左步之后。

乙又掤甲、按甲、挤甲，步如前甲。甲又掤乙、攌乙，步如前乙。

二人往来练之，二人或换步，或换手，均可。活步推手，难以图形表示。其挤、按均与顺步推手同，惟动步耳。

以上推手，无论合步、顺步、进退步，均须时时练习，不可间断。久之自能懂劲，敌意从何方而来，稍触即知矣。

大攌

大攌者，採挒肘靠四隅也。

二人南北对立，甲向南，乙向北，俱左足在前。甲乙右手腕相黏，乙攌甲肘，乙右步向西南迈去，作骑马式，右手拢甲腕，左手腕黏甲之肘，与小攌相同。甲左足向东南迈去，须与乙两足成正三角形，右足即向乙之膪内插进，正对乙之正面，右手往前松劲，左手扶于右肘湾内，眼神对乙之面，右肩即靠于乙之胸前。甲[①]即不能立住而跌出矣。

乙见甲至，即以左膊随腰往下一沈，甲即不能靠入。以右手向甲面一闪，一闪即挒意[②]。

甲若不变，即被乙挒，或被乙左膊挤出。故甲速以右腕接乙右腕，右足收至左足处，翻身，右足往东南迈去，左手攌乙之肘，形势与乙第一次攌时相同。

乙随进左步，右步向甲膛内插进，靠入，如甲第一次靠相同。

甲被乙靠，速以左手採住乙之左手背，速含胸，左足逃出于乙右足之前。

乙如不变，甲两手即可将乙按出。乙速以左手腕黏甲左手腕，右足收至左足处，以右手擺甲左肘，左足向西北迈去。

甲速进右步，与乙两足成正三角形，左足向乙裆内插进靠之。

乙见甲至，以右膊随腰往下一沈，甲即不能靠入。以左手向甲面上一闪。甲速以左手腕接乙左手腕，左足收至右足处，翻身，左足往东北迈去。

右手擺乙之肘，乙随进右步，左足向甲裆内插进靠入。

此四隅俱全。若随擺，或逃腿，或单手闪，均可随意。

如大擺四图[③]：第一图，甲擺乙靠。第二图，甲靠乙挒。第三图，乙靠，甲单手採逃腿。第四图，甲靠，乙逃腿双手按。略备形式，甲乙转换，或以乙为甲，以甲为乙均可。其应用之规矩，虽详细说明，而其巧妙，仍非口传心授不可。

图 1

图 2

图3

图4

注释

①甲：盖“乙”字之误。

②一闪即捌意：闪，即搧掌，一“闪”字，含闪赚之意，而非以掌掴面。

③大攦四图：第一、第二图，白衣黑裤者，为甲，是杨澄甫先生。黑衣者，为乙，是许禹生先生。第三、第四图，黑衣者，为甲，是陈微明先生。白衣者，为乙，是陈志进先生。

附图说明[①]

余著《太极拳术》一书，用杨澄甫先生摄影图式[②]，缺者余为补之[③]，共五十图，阅者尚嫌图少。余去岁赴粤，应中山大学之聘请，有梁生劲予者，欲余摄太极全图，凡转动之处可摄者，均摄出无遗，共一百十八式，较原图增多六十八式。今将此图制成铜版付印，附于书内。阅者参观附图，更为明瞭[④]。惟复式太多，未能重印，特编为详细目录，连重复者，共二百六十一式，按目索图，亦不费力。

余新摄之图，与杨澄甫先生在杭州所摄之图[⑤]比较观之，姿式规矩尚未差异，是可告于阅者。

太极起式，假定面向正南，转右则为正西，转左则为正东，转后则为正北。或正或隅，均以起式向南而推之。此图从首至终，均照一定之方向，阅者观图，即可知其向何方也。

凡转动之处，虽未能停止，然以便阅者，明其转动之方向、形式，故于转动之处，亦摄一图或二图，虽不能如电影片之密合，亦可以观得其大概。凡转动之处，必须圆满，不可有凹凸棱角，则得之矣。

注释

① 附图说明：中国书店《太极拳选编》本，无附图说明以及所附之261帧微明先生拳照。

② 杨澄甫先生摄影图式：指上文拳势描述中所采用的杨澄甫拳照计37帧，杨澄甫与许禹生推手照4帧。

③ 缺者余为补之：指上文拳势描述中所采用的由微明先生补拍拳照13帧，以及微明先生与陈志进推手照9帧。

④ 瞭：音liǎo，同“了”。

⑤ 杨澄甫先生在杭州所摄之图：即杨澄甫《太极拳使用法》及《太极拳体用全书》所采用的杨澄甫老师九十四节拳照。

附图目录

第四十图　同第六图揽雀尾搌式
第四十一图　同第七图揽雀尾挤式
第四十二图　同第八图揽雀尾挤式
第四十三图　同第九图揽雀尾按式
第四十四图　同第十图揽雀尾按式
第四十五图　同第十一图单鞭转动式
第四十六图　同第十二图单鞭转动式
第四十七图　肘下锤转动式
第四十八图　肘下锤转动式
第四十九图　肘下锤式
第五十图　倒辇猴往后转动式
第五十一图　倒辇猴式
第五十二图　倒辇猴往后转动式
第五十三图　倒辇猴式
第五十四图　同五十图倒辇猴往后转动式
第五十五图　同五十一图倒辇猴式
第五十六图　斜飞合手式
第五十七图　斜飞式
第五十八图　同十四图提手式
第五十九图　同十五图白鹤亮翅合手式
第六十图　同十六图白鹤亮翅式
第六十一图　同第十七图搂膝扠步往后转动式
第六十二图　同十八图搂膝扠步往前转动式
第六十三图　同十九图左搂膝扠步式

第八十八图　同八十六图纭手式
第八十九图　同十三图单鞭式
第九十图　高探马式
第九十一图　高探马式
第九十二图　右分脚往右转动式
第九十三图　右分脚往左合手式
第九十四图　右分脚式
第九十五图　左分脚往左合手式
第九十六图　左分脚往右合手式
第九十七图　左分脚式
第九十八图　转身蹬脚式
第九十九图　搂膝拗步式
第一百图　搂膝拗步式
第一百零一图　进步栽锤式
第一百零二图　翻身白蛇吐信式
第一百零三图　翻身白蛇吐信式
第一百零四图　上步搬拦锤式
第一百零五图　同三十图上步搬拦锤式
第一百零六图　转身合手式
第一百零七图　右蹬脚式
第一百零八图　披身伏虎转动式
第一百零九图　左披身伏虎式
第一百零十图　右披身伏虎式
第一百十一图　转身合手式

第一百十二图　同一百七图右蹬脚式
第一白十三图　双风贯耳式
第一百十四图　双风贯耳式
第一百十五图　转身合手式
第一百十六图　左蹬脚式
第一百十七图　同一百十一图转身合手式
第一百十八图　同一百七图右蹬脚式
第一百十九图　同廿九图进步搬拦锤式
第一百二十图　同三十图进步搬拦锤式
第一百廿一图　同卅一图如封似闭式
第一百廿二图　同卅二图如封似闭式
第一百廿三图　同卅三图如封似闭式
第一百廿四图　同卅四图十字手转动式
第一百廿五图　同卅五图十字手转动式
第一百廿六图　同卅六图十字手式
第一百廿七图　同卅七图抱虎归山式
第一百廿八图　同卅八图抱虎归山式
第一百廿九图　同第五图揽雀尾攦式
第一百卅图　同第六图揽雀尾攦式
第一百卅一图　同第七图揽雀尾挤式
第一百卅二图　同第八图揽雀尾挤式
第一百卅三图　同第九图揽雀尾按式
第一百卅四图　同第十图揽雀尾按式
第一百卅五图　同第十一图单鞭转动式

第一百卅六图　同十二图单鞭转动式
第一百卅七图　斜单鞭式
第一百卅八图　野马分鬃合手式
第一百卅九图　右野马分鬃式
第一百四十图　野马分鬃合手式
第一百四十一图　左野马分鬃式
第一百四十二图　野马分鬃合手式
第一百四十三图　同一百卅九图右野马分鬃式
第一百四十四图　上步揽雀尾转动式
第一百四十五图　上步揽雀尾单手掤式
第一百四十六图　上步揽雀尾合手式
第一百四十七图　同第四图揽雀尾双手掤式
第一百四十八图　同第五图揽雀尾攦式
第一百四十九图　同第六图揽雀尾攦式
第一百五十图　同第七图揽雀尾挤式
第一百五十一图　同第八图揽雀尾挤式
第一百五十二图　同第九图揽雀尾按式
第一百五十三图　同第十图揽雀尾按式
第一百五十四图　同十一图单鞭转动式
第一百五十五图　同十二图单鞭转动式
第一百五十六图　同十三图单鞭式
第一百五十七图　玉女穿梭合手式
第一百五十八图　玉女穿梭式
第一百五十九图　玉女穿梭合手式

第一百六十图　玉女穿梭式
第一百六十一图　玉女穿梭合手式
第一百六十二图　玉女穿梭式
第一百六十三图　玉女穿梭合手式
第一百六十四图　玉女穿梭式
第一百六十五图　同一百四十五图上步揽雀尾单手掤式
第一百六十六图　同一百四十六图上步揽雀尾合手式
第一百六十七图　同第四图揽雀尾双手掤式
第一百六十八图　同第五图揽雀尾攌式
第一百六十九图　同第六图揽雀尾攌式
第一百七十图　同第七图揽雀尾挤式
第一百七十一图　同第八图揽雀尾挤式
第一百七十二图　同第九图揽雀尾按式
第一百七十三图　同第十图揽雀尾按式
第一百七十四图　同第十一图单鞭转动式
第一百七十五图　同第十二图单鞭转动式
第一百七十六图　同第十三图单鞭式
第一百七十七图　同八十四图抎手式
第一百七十八图　同八十五图抎手式
第一百七十九图　同八十六图抎手式
第一百八十图　同八十七图抎手式
第一百八十一图　同八十四图抎手式
第一百八十二图　同十三图单鞭式
第一百八十三图　单鞭下势式

第一百八十四图　金鸡独立起式
第一百八十五图　金鸡独立式
第一百八十六图　金鸡独立式
第一百八十七图　同五十一图倒辇猴式
第一百八十八图　同五十二图倒辇猴往后转动式
第一百八十九图　同五十三图倒辇猴式
第一百九十图　同五十图倒辇猴往后转动式
第一百九十一图　同五十一图倒辇猴式
第一百九十二图　同五十六图斜飞合手式
第一百九十三图　同五十七图斜飞式
第一百九十四图　同十四图提手式
第一百九十五图　同十五图白鹤亮翅合手式
第一百九十六图　同十六图白鹤亮翅式
第一百九十七图　同十七图搂膝拗步往后转动式
第一百九十八图　同十八图搂膝拗步往前转动式
第一百九十九图　同十九图左搂膝拗步式
第二百图　同六十四图海底针式
第二百零一图　同六十五图扇通臂式
第二百零二图　同六十六图撇身锤式
第二百零三图　同六十七撇身锤式
第二百零四图　同六十八图撇身锤式
第二百零五图　同六十九图上步搬拦锤转动式
第二百零六图　同七十图上步搬拦锤转动式
第二百零七图　同七十一图上步搬拦锤式

第二百零八图　同七十二图上步搬拦锤式
第二百零九图　同七十三图上步揽雀尾合手式
第二百十图　同四图揽雀尾双手掤式
第二百十一图　同五图揽雀尾摅式
第二百十二图　同六图揽雀尾摅式
第二百十三图　同七图揽雀尾挤式
第二百十四图　同八图揽雀尾挤式
第二百十五图　同九图揽雀尾按式
第二百十六图　同十图揽雀尾按式
第二百十七图　同十一图单鞭转动式
第二百十八图　同十二图单鞭转动式
第二百十九图　同十三图单鞭式
第二百二十图　同八十四图抎手式
第二百廿一图　同八十五图抎手式
第二百廿二图　同八十六图抎手式
第二百廿三图　同八十七图抎手式
第二百廿四图　同八十四图抎手式
第二百廿五图　同十三图单鞭式
第二百廿六图　同九十图高探马式
第二百廿七图　同九十一图高探马式
第二百廿八图　上步穿手式
第二百廿九图　十字腿转身式
第二百三十图　十字蹬腿式
第二百卅一图　搂膝指膛锤式

第二百卅二图　指膛锤式
第二百卅三图　上步揽雀尾合手式
第二百卅四图　同第四图揽雀尾双手掤式
第二百卅五图　同第五图揽雀尾攌式
第二百卅六图　同六图揽雀尾攌式
第二百卅七图　同七图揽雀尾挤式
第二百卅八图　同八图揽雀尾挤式
第二百卅九图　同九图揽雀尾按式
第二百四十图　同十图揽雀尾按式
第二百四十一图　同十一图单鞭转动式
第二百四十二图　同十二图单鞭转动式
第二百四十三图　同十三图单鞭式
第二百四十四图　同一百八十三图单鞭下势式
第二百四十五图　上步七星式
第二百四十六图　退步跨虎式
第二百四十七图　转脚摆莲式
第二百四十八图　转脚摆莲式
第二百四十九图　弯弓射虎转身式
第二百五十图　弯弓射虎式
第二百五十一图　上步搬拦锤转动式
第二百五十二图　上步搬拦锤转动式
第二百五十三图　同二十九图进步搬拦锤式
第二百五十四图　同卅图进步搬拦锤式

第二百五十五图　同卅一图如封似闭式

第二百五十六图　同卅二图如封似闭式

第二百五十七图　同卅三图如封似闭式

第二百五十八图　同卅四图十字手转动式

第二百五十九图　同卅五图十字手转动式

第二百六十图　同卅六图十字手式

第二百六十一图　同第一图合太极式

第一图

太极起式

第二图

揽雀尾单手掤式

第三图

揽雀尾合手式

第四图

揽雀尾双手掤式

第五图

揽雀尾搬式

第六图

揽雀尾搬式

第七图

揽雀尾挤式

第八图

揽雀尾挤式

第九图

揽雀尾按式

第十图

揽雀尾按式

第十一图

单鞭转动式

第十二图

单鞭转动式

第十三图

单鞭式

第十四图

提手式

第十五图

白鹤亮翅合手式

第十六图

白鹤亮翅式

第十七图

搂膝抝步往后转动式

第十八图

搂膝抝步往前转动式

第十九图

左搂膝抝步式

第二十图

手挥琵琶式

第二十二图

搂膝抝步往后转动式

第二十三图

右搂膝抝步式

第二十四图

搂膝抝步往后转动式

第二十七图

进步搬拦锤往左转动式

第二十八图

进步搬拦锤往左转动式

第二十九图

进步搬拦锤式

第三十图

进步搬拦锤式

第三十一图

如封似闭式

第三十二图

如封似闭式

第三十三图

如封似闭式

第三十四图

十字手转动式

第三十五图

十字手转动式

第三十六图

十字手式

第三十七图

抱虎归山式

第三十八图

抱虎归山式

第四十七图

肘下锤转动式

第四十八图

肘下锤转动式

第四十九图

肘下锤式

第五十图

倒辇猴往后转动式

第五十一图

倒辇猴式

第五十二图

倒辇猴往后转动式

第五十三图

倒辇猴式

第五十六图

斜飞合手式

第五十七图

斜飞式

第六十四图

海底针式

第六十五图

扇通臂式

第六十六图

撇身锤式

第六十七图

撇身锤式

第六十八图

撇身锤式

第六十九图

上步搬拦锤转动式

第七十图

上步搬拦锤转动式

第七十一图

上步搬拦锤式

第七十二图

上步搬拦锤式

第七十三图

上步揽雀尾合手式

第八十四图

抎手式

第八十五图

抎手式

第八十六图

扢手式

第八十七图

扢手式

第九十图

高探马式

第九十一图

高探马式

第九十二图

右分脚往右转动式

第九十三图

右分脚往左合手式

第九十四图

右分脚式

第九十五图

左分脚往左合手式

第九十六图

左分脚往右合手式

第九十七图

左分脚式

第九十八图

转身蹬脚式

第九十九图

搂膝拗步式

第一百图

搂膝抝步式

第一百〇一图

进步栽锤式

第一百〇二图

翻身白蛇吐信式

第一百〇三图

翻身白蛇吐信式

第一百〇四图

上步搬拦锤式

第一百〇六图

转身合手式

第一百〇七图

右蹬脚式

第一百〇八图

披身伏虎式

第一百〇九图

左披身伏虎式

第一百十图

右披身伏虎式

第一百十一图

转身合手式

第一百十三图

双风贯耳式

第一百十四图

双风贯耳式

第一百十五图

转身合手式

第一百十六图

左蹬脚式

第一百三十七图

斜单鞭式

第一百三十八图

野马分鬃合手式

第一百三十九图

右野马分鬃式

第一百四十图

野马分鬃合手式

第一百四十一图

左野马分鬃式

第一百四十二图

野马分鬃合手式

第一百四十四图

上步揽雀尾转动式

第一百四十五图

上步揽雀尾单手掤式

第一百四十六图

上步揽雀尾合手式

第一百五十七图

玉女穿梭合手式

第一百五十八图

玉女穿梭式

第一百五十九图

玉女穿梭合手式

第一百六十图

玉女穿梭式

第一百六十一图

玉女穿梭合手式

第一百六十二图

玉女穿梭式

第一百六十三图

玉女穿梭合手式

第一百六十四图

玉女穿梭式

第一百八十三图

单鞭下势式

第一百八十四图

金鸡独立起式

第一百八十五图

金鸡独立式

第一百八十六图

金鸡独立式

第二百二十八图

上步穿手式

第二百二十九图

十字腿转身式

第二百三十图

十字蹬腿式

第二百三十一图

搂膝指膛锤式

第二百三十二图

指膛锤式

第二百三十三图

上步揽雀尾合手式

第二百四十五图

上步七星式

第二百四十六图

退步跨虎式

第二百四十七图

转脚摆莲式

第二百四十八图

转脚摆莲式

第二百四十九图

弯弓射虎转身式

第二百五十图

弯弓射虎式

第二百五十一图

上步搬拦锤转动式

第二百五十二图

上步搬拦锤转动式

太极拳论

陈微明注

一举动，周身俱要轻灵[1]。

不用后天之拙力，则周身自然轻灵。

注释

① 轻灵：武禹襄《打手要言》“每一动，惟手先著力，随即松开，犹须贯串，不外起承转合。始而意动，既而劲动，转接要一线串成”39 字，杨家传抄诸本拳谱皆审益成“一举动，周身俱要轻灵，犹须贯串”13 字。

二水按：两节文字，辞意相通，但杨家传抄诸本的文辞简洁，立意高远，以“轻灵”统领太极拳，将“轻灵”作为太极拳的运动纲领，力矫粘滞于空境，将太极拳推向了“机趣活泼”的境界。

轻灵，不只是对步法的要求，也不只是对身法的要求。上下相随，左右相连，全身便完整一气，了无挂碍。不留驻于圣境，不粘滞于悟境，而要从圣境、悟境里超越出来，展开表象界的种种动象，生发出鲜活流转、任运随缘的天机活趣。着眼于鲜活永动的韵味，知空而不住，从空灵中折回，将一己之我转化为宇宙之我，视“满目青山起白云”为家风，随缘任运，洒脱无拘，使个体与宇宙合而为一，时间与空间铸成一体，渐臻真美，无拘无束，所谓“天人合一”者也。

“一举动，周身俱要轻灵，尤须贯串”，便具有“来时无一物，去亦任从伊”的从容自在，弥漫着洒脱无拘的个性，高蹈着自由骏发的意志。镜湖老先生（杨健侯）云：“轻则灵，灵则动，动则变，变则化！”此则，从根本上确立了“轻灵”作为杨式太极拳的运动总纲。

尤须贯串①。

贯串者，绵绵不断之谓也。不贯串则断。断则人乘虚而入。

注释

①贯串：太极拳在筋腱骨节处的要求：“其根在脚，发于腿，主宰于腰，形于手指。由脚、而腿、而腰，总须完整一气。”脚、膝、胯、腰、肩、肘、掌、腕、指，每一骨节筋腱处，须得节节贯穿，上下相随，左右相连。每一骨节筋腱处，“须得节节分散，节节贯穿，节节对拉拔长”。郑曼青说：“一夕忽梦，觉两臂已断，惊醒试之，恍然悟得松境。其两臂所系之筋络，正犹玩具之洋娃娃，手臂关节赖一松紧带之维系，得以转掉如意，然其两臂若不觉已断，恶得知其松也。”道尽了“节节分散，节节贯穿，节节对拉拔长”之意。

气宜鼓荡①，神宜内敛。

气鼓荡则无间，神内敛则不乱。

注释

① 鼓荡：鼓，春分之音，万物郭皮甲而出，故谓之鼓。荡，原作：盪。上汤下皿，从皿汤声，如水在器皿上煮沸的状态。像是平静的水面，在某种作用力之下，产生向四周、上下翻腾、荡漾的状态。

二水按：鼓是击打，荡是声的传播。鼓是投石于水面，荡是水面泛起的涟漪。鼓是器皿加热，荡是水的沸腾。鼓是因，荡是果。得矣。

行拳走架，鼓是敛，是整，是合，是凝；荡是通，是空，是散，是透。鼓荡是身躯前移后荡，阴阳生息变幻的结果。鼓荡无常，拳意气象万千。了明鼓荡，始知吞吐。海纳百川，才能气吞山河。

无使有凸凹处，无使有断续处①。

有凹处，有凸处，有断时，有续时，此皆未能圆满也。凹凸之处，易为人所制。断续之时，易为人所乘。皆致败之由也。

注释

① 无使有断续处：武禹襄《打手要言》有“无使有缺陷处”句，微明先生抄本脱此句。凹凸、断续，皆系缺陷之种种。

其根在脚，发于腿，主宰于腰，形于手指。由脚而腿而腰，总须完整一气，向前退后，乃得机得势。

庄子曰：“至人之息以踵①。”太极拳术，呼吸深长，上可至顶，下可至踵。故变动，其根在脚，由脚而上至腿，由腿而上至腰，由腰而上至手指，完整一气。故太极以手指放人，而跌出者，并非仅手指之力，其力乃发于足跟，而人不知也。上手、下足、中腰，无处不相应，自然能得机得势。

注释

① 至人之息以踵："至人"，系"真人"之误。源出《庄子·大宗师》："古之真人，其寝不梦，其觉无忧，其食不甘，其息深深。真人之息以踵，众人之息以喉。"庄子认为，古时候的真人，他们睡觉时不做梦，醒来时不忧愁。他们吃东西不贪图甘美，呼吸时气息深沉。真人的呼吸，是以脚踵的变动，来协同配合呼吸的节拍，而普通人的呼吸，则靠的是喉咙的吐纳出入。微明先生以庄子的大宗师境界，来借喻太极拳的呼吸深沉，以及脚踝骨在太极拳运动中的重要性。

二水按：《庄子·大宗师》只谈及"真人"，《庄子·天下》中，则有"天人""神人""至人""圣人""君子"等的分别，云："不离于真，谓之至人。"可见，在庄子看来，"真人"或许与"至人"同。而《黄帝内经·素问·上古天真论》明确区分"真人""至人""圣人""贤人"。"上古有真人者""中古之时，有至人者"，可见"真人"与"至人"其所处时代也有明确的不同。踵，后脚跟。人体脚踝骨，是躯体与脚底板之间的连接点。身体所承受的外力，通过脚踝骨作用于脚底，脚踝骨紧张，人就容易跌倒；倘若脚踝骨松灵了，人的稳定性就好。太极拳运动中，训练以脚踝骨的运动，来协同配合人的呼吸及运动节拍，一方面能训练脚踝骨与脚底板之间构成缓冲机制，当身躯所受外力侵袭时，能在缓冲外力的同时，及时将外力反馈给对手；另一方面，脚踝骨的运动，能使得由"脚、膝、胯、腰、肩、肘、掌、腕、指"每一骨节筋腱处，节节贯穿，上下相随，左右相连后所构成的间架结构，得以周身一家，完整一气。所以，由"脚、膝、胯、腰、肩、肘、掌、腕、指"所构建的完整间架，以及脚踝骨运动所形成的一触即发的节拍，才能保证太极拳的"得机得势"。

有不得机得势[1]处，身便散乱，其病必于腰腿求之。

不得机，不得势，必是手动而腰腿不动。腰腿不动，手愈有力，而身愈散乱。故有不得力处，必留心动腰腿也。

注 释

① 得机得势：时机的把握和空间的丈量，是太极拳得机得势的根本，也是太极拳的灵魂所在。由“脚、膝、胯、腰、肩、肘、掌、腕、指”所构建的完整间架，以及脚踝骨运动所形成的一触即发的节拍，才能保证太极拳的机的把握与势的运用。

上下前后左右皆然，凡此皆是意，不在外面。有上即有下，有前即有后，有左即有右。

欲上欲下，欲前欲后，欲左欲右，皆须动腰腿，然后能如意。虽动腰腿，而内中有知己知彼，随机应变之意在。若无意，虽动腰腿，亦乱动而已。

如意要向上，即寓下意。若将物掀起[1]而加以挫之之力，斯其根自断，乃坏之速而无疑。

此言与人交手时之随机应变，反复无端，令人不测，使彼顾此而不能顾彼，自然散乱。散乱，则吾可以发劲矣。

注 释

① 将物掀起：武禹襄《打手要言》“又曰”作“物将掀起”。武禹襄将

王宗岳拳论及自己的体悟讲论赠贻杨家后，杨家的拳学者，在传抄过程中加以窜益，将“物将掀起”改作了“将物掀起”。

二水按：“物将掀起”的物，泛指与“我”相对的一切人事物事，未必仅指今人概念中的物体之物。曾国藩云：“物者何？即所谓本末之物也。身、心、意、知、家、国、天下，皆物也。天地万物，皆物也。日用常行之事，皆物也。”而“将物掀起”的物，显然只是局限于今人语境下的“物体”，文辞虽合乎今人口吻，却缺失更多的深层含义。但杨本改“物将掀起”为“将物掀起”后，在拳艺上的理解，也更接近今人的语境。

虚实宜分清楚，一处自有一处虚实，处处总此一虚实。周身节节贯串，无令丝毫间断耳。

练架子要分清虚实，与人交手，亦须分清虚实。此虚实虽要分清，然全视来者之意而定。彼实我虚，彼虚我实。实者忽变为虚，虚者忽变为实。彼不知我，我能知彼，则无不胜矣。周身节节贯串，“节节”二字，以言其能虚空粉碎。能虚空粉碎，则处处不相牵连。故彼不能使我牵动，而我稳如泰山矣。虽虚空粉碎，不相牵连，而运用之时，又能节节贯串，并不相顾，如常山之蛇[①]，击首则尾应，击尾则首应，击其背则首尾俱应，夫然后可谓之轻灵矣。譬如以千斤之铁棍，非不重也，然有巨力者，可持之而起。以百斤之铁链，虽有巨力者，不能持之而起，以其分为若干节也。虽分为若干节，而仍是贯串。练太极拳，亦犹此意耳。

注 释

① 常山之蛇：源出《孙子兵法》："善用兵者，似率然。率然者，常山蛇。击其首，则尾至。击其尾，则首至。击其中，则首尾俱至。"戚继光《纪效新书》卷十四《拳经捷要》篇云："若以各家拳法兼而习之，正如常山蛇阵法，击首则尾应，击尾则首应，击其身而首尾相应，此谓'上下周全，无有不胜'。"

长拳者[①]，如长江大海，滔滔不绝也。

太极拳亦名长拳，杨氏所传有太极拳，更有长拳，名目稍异，其意相同。

注 释

① 长拳者："太极拳亦名长拳"的长拳，就只指太极拳本身，而并非另有一套拳架叫作长拳。杨家三十二目老拳谱《太极进退不已功》云："掤进攦退自然理，阴阳水火相既济。先知四手得来真，採挒肘靠方可许。四隅从此演出来，十三势架永无已。所以因之名'长拳'。任君开展与收敛，千万不可离太极。"《八五十三势长拳解》更为直白："自己用功，一势一式，用成之后，合之为'长拳'。滔滔不断，周而复始，所以名'长拳'也。万不得有一定之架子，恐日久入于滑拳也，又恐入于硬拳也，决不可失其绵软。"

十三势者，掤、攦、挤、按、採、挒、肘、靠，此八卦也。进步、退步、右顾、左盼、中定，此五行也。掤、攦、挤、按，即坎、离、震、兑，[①] 四正方也；採、挒、肘、靠，即乾、坤、艮、巽，[②] 四斜角也。进、退、顾、盼、定，即金、木、水、火、土也。

太极拳各式，及掤、攦、挤、按已见前。

注 释

① 掤、攦、挤、按，即坎、离、震、兑：此文王八卦，坎北、离南、震东、兑西，表述的是四个正方的方位。他本皆以文王八卦以序方位，唯独《康健指南》等吴氏本，皆作：掤、攦、挤、按，即乾、坤、坎、离，取法伏羲八卦乾南、坤北、坎西、离东。

② 採、挒、肘、靠，即乾、坤、艮、巽：文王八卦，乾西北、坤西南、艮东北、巽东南，表述的是四个斜角的方位。他本皆以文王八卦以序方位，唯独《康健指南》等吴氏本，皆作：採、挒、肘、靠，即巽、震、兑、艮，取法伏羲八卦巽西南、震东北、兑东南、艮西北。

原书注云："以上系武当山张三丰祖师所著，欲天下豪杰延年益寿，不徒作技艺之末也"。

太极者，无极而生，阴阳之母也。[①]

阴阳生于太极，太极本无极。太极拳，处处分虚实阴阳，故名曰太极也。

注 释

① 太极者……阴阳之母也：武禹襄将得诸舞阳盐店的王宗岳《太极拳论》赠贻杨家后，杨家拳学者，在拳谱传抄过程中，多有窜益，许禹生等

诸家杨家拳谱、徐致一等吴氏拳谱，于此节多有“动静之机”四字，微明先生此本无之。

动之则分，静之则合。[①]

我身不动，浑然一太极。如稍动，则阴阳分焉。

注释

① 动之则分，静之则合：古汉语有一种特殊的语法结构，叫“互文”，前后辞章，参互成文，合而见义。譬如“打情骂俏”“翻手为云，覆手为雨”，等等。同样，此句也应该理解为“动静则分合”。

二水按：此节阐述太极拳犹如一架权衡动静变化的“天平”，一旦称得对手动静端倪，便以分合之道应对之。天地万物动静变化，是一个阴阳消长的过程。应对对手的阴阳变化，或分或合，全凭权称对手阴阳消长的个中消息，“分毫尺寸，须自己细辨，默识揣摩，融会于心，迨之精熟，自能随感斯应”矣。

无过不及，随曲就伸[①]。

此言与人相接相黏之时，随彼之动而动，彼屈则我伸，彼伸则我屈，与之密合，不丢不顶，不使有稍过及不及之弊。

注释

① 随曲就伸：随，从也，顺也，往也。就，迎也，即也。《黄帝内经·素问·天元纪大论》第六十六：“阴阳之气，各有多少，故曰三阴三阳也。

形有盛衰，谓五行之治，各有太过不及也。故其始也，有余而往，不足随之；不足而往，有余从之。知迎知随，气可与期。应天为天符，承岁为岁直，三合为治。”

二水按：太极拳旨在通过拳架、推手的训练，根据对手气的阴阳，形的盛衰的态势，逐渐感知对手或过或不及时所蕴含的机势，同时做出或迎或将，或即或离的反应，最后达到知迎知随，不将不迎，不即不离，随曲就伸的自然反应状态。这与《黄帝内经》“应天为天符，承岁为岁直”的天地大道，理为一贯。

人刚我柔谓之走[1]，我顺人背谓之黏。

人刚我刚，则两相抵抗。人刚我柔，则不相妨碍。不妨碍则走化矣。既走化，彼之力失其中，则背矣。我之势得其中，则顺矣。以顺黏背，则彼虽有力而不得力矣。

注 释

①走：趋也。趋向曰走。武禹襄的《打手要言》，用“依”字来诠释走：“以己依人，务要知己，乃能随转随接；以己粘人，必须知人，乃能不后不先”“能粘依，然后能灵活”云。

动急则急应，动缓则缓随，虽变化万端，而理惟一贯。

我之缓急，随彼之缓急，不自为缓急，则自然能黏连不断。然非两臂松净，不使有丝毫之拙力，不能相随之如是巧合。若两臂有力，则喜自作主张，不能舍己从人矣。动之方向、缓急不同，故曰变化万端。虽不同，而吾之黏随，其理则一也[1]。

注释

① 我之缓急……其理则一也：与人推手，两人相接相黏时，我的一举一动，顺着对手而动，我的动作快慢，也顺应对手的缓急变化，不是自己想快就快，想慢就慢，这样自然就能与对手黏连起来，而不至于断劲。然而，要做到黏连，倘若自己的两臂还没有松得彻彻底底，干干净净，还做不到不能用一丝一毫的蛮力，那么就不可能相随相应到这样巧合的地步。如果两臂还有蛮力，就喜欢自作主张，就做不到舍己从人。对手劲力变动的真假、虚实、方向、速度、目标等，随时在变化之中，所以说"变化万端"。即便"变化万端"，我只要敛神听细雨，松净身心，在与对手的粘黏连随之中，克服顶匾丢抗之病，去觉知对手劲力的真假、虚实、方向、速度、目标，甚至在对手劲力之将发而未发、预动而未动的端倪，去把握对手的运与动。这一道理，就像是孔老夫子所说的："吾道一以贯之"。

由着熟[1]而渐悟懂劲，由懂劲而阶及神明[2]。然非用力[3]之久，不以豁然贯通焉。

着熟者，习拳以练体，推手以应用。用力既久，自然懂劲而神明矣。

注释

① 着熟：原作"著熟"。著，有位次之意。《五行志》云："朝内列位有定处，所谓表著也。"著熟，概指拳架招数中的每一拳势的劲路变化，烂熟于心。

②神明：《淮南子·兵略训》曰："见人所不见，谓之明；知人所不知，谓之神。神明者，先胜者也。"

二水按：此节从著熟到懂劲，从懂劲到神明，不但指明了太极拳的方向，更为我们提供了习练太极拳的行为模式："著熟"是第一阶段，要求熟悉太极十三势的每一动、每一招的劲路变化，熟悉拳技的规矩法度。这一阶段靠的是勤奋。"由著熟而渐悟懂劲"是第二阶段。懂劲大凡需要"懂"劲力的来龙去脉、劲力的方向大小真假、劲力的机势节拍。不但要懂自己劲力种种变化，还得听懂对手劲力的种种变化。这是"渐悟"的过程。所谓"渐悟"，一方面是指需花费一段漫长的时间，另一方面除了自身的身体力行、刻苦训练外，还需时时用脑、刻刻用意。这更需要一个人的智慧。"由懂劲而阶及神明"是第三阶段。"渐悟"是一种模糊思维，而"阶及"却有了一条明确的路径。因为懂劲了，入了门，但前方的路，犹如一架天梯，目标虽然明确，方向犹在前面，却是一条永无止境的通天长梯。欲到达"神明"境界，除了勤奋和智慧，还远远不够，重要的是一个人的人格魅力。太极拳不是单纯的武艺，而是一种道艺。如果不注重自身人格的修为，"阶及神明"之路只能是神话中的一架"天梯"。

③用力：劳心努力之意。非用蛮力之谓也。苏轼《灵壁张氏园亭记》云："凡园之百物，无一不可人意者，信其用力之多且久也"，朱熹《大学章句》："至于用力之久，而一旦豁然贯通焉。"

虚领顶劲，气沈丹田，不偏不倚，忽隐忽现。

无论练架子及推手，皆须有虚灵顶劲，气沈丹田之意。不偏不倚者，立身中正，不偏倚也。忽隐忽现者，虚实无定，变化不测也。

左重则左虚，右重则右杳。

此二句，即解释"忽隐忽现"之意。与彼黏手，觉左边重，则吾之左边，与彼相黏处，即变为虚。右边亦然。杳者，不可捉摸之意，与彼相黏，随其意而化之，不可稍有抵抗，使之处处落空，而无可如何。

仰之则弥高，俯之则弥深，进之则愈长，退之则愈促。

彼仰，则觉我弥高，如扪天而难攀。彼俯，则觉我弥深，如临渊而恐陷。彼进，则觉我愈长而不可及。彼退，则觉我逾偪[1]而不可逃。皆言我之能黏随不丢，使彼不得力也。

注释

①偪：与“逼”同，逼迫、侵迫的意思。

一羽不能加，蝇虫不能落，人不知我，我独知人，英雄所向无敌，盖由此而及也。

羽不能加，蝇虫不能落，形容不顶之意。技之精者，方能如此。盖其感觉灵敏，已到极处，稍触即知。能工夫至此，举动轻灵，自然人不知我，我独知人。

斯技旁门甚多，虽势有区别，概不外壮欺弱，慢让快耳。有力打无力，手慢让手快，此皆先天自然之能，非关学力而有为也。

以上言外家拳术，派别甚多，不外以力、以快胜人。以力、以快胜人，若更遇力过我、快过我者，则败矣。是皆充其自然之能，非有巧妙如太极拳术之不恃力、不恃快而能胜人也?

察四两拨千斤之句，显非力胜。观耄耋[1]能御众之形，快何能为。

太极拳之巧妙，在以四两拨千斤。彼虽有千斤之力，而我顺彼背，则千斤亦无用矣。彼之快乃自动也，若遇精于太极拳术者，以手黏之，彼欲动且不能，何能快乎。

注释

①耄耋：犹高龄，高寿。林栗《周易经传集解》曰："夫日昃者，一日之老也；秋冬者，一岁之老也；耄耋者，百年之老也"。

立如平准，活似车轮。①

立能如平准者，有虚灵顶劲也。活似车轮者，以腰为主宰，无处不随腰运动圆转也。

注释

①立如平准，活似车轮：太极拳静态、动态下的运动法则。静态时，"立"如一架天平，能够将对手的轻重浮沉，虚实缓急，一一得以了然于心，丝毫无爽。动态时，"活"如长了车轮的一架天平。进退顾盼，时时能守中用中。《杨氏太极拳老拳谱三十二目》之"太极平准腰顶解"一节，在解释"尾闾正中神贯顶，满身轻利顶头悬"时，也经典地阐述了"立如平准，活似车轮"这一法则："顶如准，故云顶头悬也。两手，即平左右之盘也，腰，即平之根株也。立如平准，所谓轻重沉浮，分厘毫丝则偏，显然矣。有准，顶头悬。腰之根下株，尾闾至囟门也。上下一条线，全凭两平，转变换取，分毫尺寸，自己辨。车轮两，命门一，纛摇又转，心令气旗，使自然，随我便。满身轻利者，金刚罗汉炼。对待有往来，是早或是晚。合则放发云，不必凌霄箭。涵养有多少，一气哈而远。口授须秘传，开门见中天。"无论天平，无论平准，又一一与朱熹《论孟精义》所引之游酢《游廌山集》

一节文辞相契合："譬之权衡之应物曾无心，于轻重抑扬高下，秤抑扬高下，称物平施，无铢两之差，此其所以为时中也。"

偏沈则随，双重[1]则滞。

何谓偏沈则随，双重则滞？譬两处与彼相黏，其力平均，彼此之力相遇，则相抵抗，是谓双重。双重，则二人相持不下，仍力大者胜焉。两处之力平均，若松一处，是谓偏沈，我若能偏沈，则彼虽有力者，亦不得力，而我可以走化矣。

注释

① 双重：重，再也。重阴、重阳谓之双重。《易经》以九为老阳，六为少阴。习俗九月九为重阳节，六月六为重阴节。后文"双重之病未悟耳""欲避此病，须知阴阳"可佐证之。

二水按："偏沉则随，双重则滞"中，"偏沉"专指重阴，"双重"则偏指重阳，盖属古汉语语境中的"复合偏义"。偏沉则随，流弊于重阴，有失平准之"立"；双重则滞，凝积于重阳，有失车轮之"活"。"偏沉"与"双重"，都是指阴阳不辨的状态。作为"太极拳经"或"太极拳论"，王宗岳此论，是站在经论角度，高屋建瓴来总结归纳问题的，而非仅仅只是技术层面两脚的轻重虚实，或两手力量的顶抗丢扁。

"立"者，即《杨氏太极拳老拳谱三十二目》之"太极平准腰顶解"中的"平之根株也"，意思是天平的梁柱。偏沉则随的"随"，乃随波逐流之"随"，而非随屈就伸之"随"。阴阳未济之谓也。李亦畬五字诀在王宗岳"左重则左虚，右重则右杳"的基础上，释解为"左虚则右实，右虚则左实"，意在以"虚实开合"来力戒阴阳未辨之病。知虚实开合，方能如《孙子兵法》之所云："善用兵者，似率然。率然者，常山蛇。击其首，则尾至。击其尾，则首至。击其中，则首尾俱至”。

《杨氏太极拳老拳谱三十二目》之“太极轻重浮沉解”，又运用《易经》“老阴、少阴、少阳、老阳”的四象理论，对轻与浮、沉与重、偏与半作简朴的定性定量分析，将太极拳一气流水于肢体手足时的感受，分作三类十二手：上手二：双轻、双沉；平手一：半轻半重；病手九：双重、双浮、半沉半浮、偏轻偏重、偏浮偏沉、半重偏重、半轻偏轻、半沉偏沉、半浮偏浮。并称：“双重为病，失于填实，与沉不同也”“偏浮偏沉，失于太过也”“半沉偏沉，虚而不正也”“偏者，偏无著落也，所以为病。偏无著落，必失方圆”。

每见数年纯功，不能运化者，率自为人制，双重之病未悟耳。

有数年之纯功，若尚有双重之病，则不免有时为人所制，不能立时运化。

若欲避此病，须知阴阳。黏即是走，走即是黏。阴不离阳，阳不离阴。阴阳相济，方为懂劲。

若欲避双重之病，须知阴阳。阴阳即虚实也，稍觉双重，即速偏沈。虚处为阴，实处为阳。虽分阴阳，而仍黏连不脱，故能黏能走。阴不离阳，阳不离阴者，彼实我虚，彼虚我又变为实。故阴变为阳，阳变为阴，阴阳相济，本无定形，皆视彼方之意而变耳，如能随彼之意，而虚实应付，毫厘不爽，是真可谓之懂劲矣。

懂劲后，愈练愈精，默识揣摩，渐至从心所欲。

懂劲之后，可谓入门矣，然不可间断，必须日日练习，处处揣摩，如有所悟，默识于心。心动则身随，无不如意，技日精矣。

本是舍己从人。多误舍近求远。

太极拳不自作主张，处处从人，彼之动作，必有一方向，则吾随其方向而去，不稍抵抗，故彼落空，或跌出，皆彼用力太过也。如有一定手法，不知随彼，是谓舍近而求远矣。

斯谓失之毫厘，谬以千里。学者不可不详辨焉。

太极拳与人黏连，即在黏连密切之处而应付之，所谓不差毫厘也。稍离则远，失其机矣。

此论句句切要，并无一字敷衍陪衬，非有夙慧，不能悟也。先师不肯妄传，非独择人，亦恐枉费工夫耳。

太极拳之精微奥妙，皆不出此论，非有夙慧之人，不能领悟。可见此术不可以技艺视之也。

十三势歌

十三总势莫轻视， 命意源头在腰隙。
变转虚实须留意， 气遍身躯不少滞。

静中触动动犹静，因敌变化示神奇。

势势揆心须用意，得来不觉费工夫。

刻刻留心在腰间，腹内松净气腾然。

尾闾中正神贯顶，满身轻利顶头悬。

仔细留心向推求，屈伸开合听自由。

入门引路须口授，工夫无息法自休。

若言体用何为准？意气君来骨肉臣。

想推用意终何在，益寿延年不老春。

歌兮歌兮百卌字，字字真切义无遗。

若不向此推求去，枉费工夫贻叹息。

十三势歌之意，前已讲明，故不复注解。

十三势行功心解

以心行气，务令沈着，乃能收敛入骨。以气运身，务令顺遂，乃能便利从心。

以心行气者，所谓意到气亦到。意要沈着，则气可收敛入骨，并非格外运气也。气收敛入骨，工夫既久，则骨日沈重，内劲长矣。

以气运身者，所谓气动身亦动。气要顺遂，则身能便利从心，故变动往来。无不从心所欲，毫无阻滞之处矣。

精神能提得起，则无迟重之虞，所谓顶头悬也。

有虚灵顶劲，则精神自然提得起。精神提起，则身体自然轻灵。观此，可知舍精神而用拙力者，身体必为力所驱使，不能转动如意矣。

意气须换得灵，乃有圆活之妙，所谓变转虚实也。

与敌相黏，须随机换意，仍不外虚实分得清楚，则自然有圆活之妙。

发动须沈着松净，专主一方。

发劲之时，必须全身松净，不松净，则不能沈着。沈着松净，自然能放得远。专主一方者，随彼动之方向而直去也，随敌之势。如欲打高，眼神上望，如欲打低，眼神下望，如欲打远，眼神远望，神至则气到，全不在用力也。

立身须中正安舒，撑支八面。

顶头悬，则自然中正。松净，则自然安舒。稳如泰山，则自然能撑支八面。

行气如九曲珠①，无微不到。

九曲珠，言其圆活也，四肢百体，无处不有圆珠，无处不是太极圈子，故力未有不能化也。

注释

①九曲珠：珠孔曲折难通的宝珠。典出孔子适陈，令穿九曲明珠，孔子依桑女言，用蜜涂珠，丝将系蚁，用烟熏蚁，乃得以穿之。陆游《游淳化寺》诗有云："蚁穿珠九曲，蜂酿蜜千房。"

二水按：九曲珠一喻，前涂蜜以诱，后烟熏以逼，一则主动，一则被动，形象地阐述了“动牵往来气贴背”之理。吸气时，肩胯里根往内抽劲，胸腹紧贴腰背，如一半竹片，一半牛皮制成的“橐龠”；呼气时，自然复原。动牵往来，神息气运，如是方能无微不到，气遍身躯不稍痴也。

运劲如百炼钢[1]，何坚不摧。

太极虽不用力，而其增长内劲，可无穷尽。其劲如百炼之钢，无坚不摧。

注释

① 百炼钢：刘琨《重赠卢谌》诗云 ：“何意百炼刚，化为绕指柔”，以喻太极拳之柔，是百炼钢成绕指柔。而非只是臆想松柔所能得之。《杨氏太极拳老拳谱三十二目》太极下乘武事解云：“太极之武事，外操柔软，内含坚刚，而求柔软。柔软之于外，久而久之，自得内之坚刚。非有心之坚刚，实有心之柔软也。所难者，内要含蓄，坚刚而不施，外终柔软而迎敌，以柔软而应坚刚，使坚刚尽化无有矣。”

形如搏兔之鹘，神如捕鼠之猫。

搏兔之鹘，盘旋不定。捕鼠之猫，待机而动。

静如山岳，动若江河。

静如山岳，言其沈重不浮。动若江河，言其周流不息。

蓄劲如张弓，发劲如放箭。

蓄劲如张弓，以言其满。发劲如放箭，以言其速。

曲中求直，蓄而后发。

曲是化人之劲，劲已化去，必向彼身求一直线，劲可发矣。

力由脊发，步随身换。

含胸拔背，以蓄其势。发劲之时，力由背脊而出，非徒两手之劲也。身动步随，转换无定。

收即是放，放即是收，断而复连。

黏、化、打虽是三意，而不能分开。收即黏化，放是打，放人之时，劲似稍断，而意仍不断。

往复须有摺叠，进退须有转换。

摺叠者，亦变虚实也，其所变之虚实，最为微细。太极截劲，往往用摺叠。外面看似未动，而其内已有摺叠。进退必变换步法，虽退仍是进也。

极柔软，然后极坚刚。能呼吸，然后能灵活。①

老子曰："天下之至柔，驰骋天下之至坚。"其至柔者，乃至刚也。吸为提，为收。呼为沈，为放。此呼吸，乃先天之呼吸，与后天之呼吸相反。故能提得人起，放得人出。

注释

①能呼吸，然后能灵活：武禹襄《打手要言》作："能粘依，然后能灵活。"

二水按：将"能粘依，然后能灵活"改作"能呼吸，然后能灵活"，是杨家拳学者对太极拳理论界的一份创造性的贡献。市井的太极拳界对于呼吸的理解，或往往只是侧重口鼻之间的吐纳，或动辄滥觞于仙道之流的胎息龟功，而于拳技本身了无补益。杨家拳学者于呼吸与灵活之间的关联性，其实与李亦畬五字诀中"呼吸通灵，周身罔间……盖吸，则自然提得起，亦拿得人起；呼，则自然沉得下，亦放得人出"有异曲同工之妙。家师慰苍先生曾云："将'能粘依，然后能灵活'改作'能呼吸，然后能灵活'，表明了修改者对于太极拳实际功夫的体验，比原作者更加深入了一层。因为，即使在一般推手时，仅仅只在外形肢体上能够跟随得上对方，还是不够的，必须在外形肢体上能够跟随得上的同时，还要在内在呼吸上也能够跟得上对方的呼吸，那才真正是全面的所谓'完整一气'，才真正是里里外外的所谓'合住对方'，然后才能既轻松而又干脆地把对方发放出去，更何况，进一步要把它运用到太极散手和太极器械方面去了。"二水将太极拳理解为"一门调控身心的艺术"，粘依之间，一敷一盖、一对一吞，通过吸提呼放，掌控自身的拍位，合住对手的节拍，进而去影响或改变对手的节拍，俞虚江《剑经》总诀"知拍任君斗"，讲的就是这层道理。

气以直养而无害[①]。劲以曲蓄而有余。

孟子曰："吾善养吾浩然之气""至大至刚，以直养而无害，则塞乎天地之间"。太极拳盖养先天之气，非运后天之气也。运气之功，流弊甚大。养气则顺乎自然，日习之、养之而不觉，数十年后，积虚成实，至大至刚。至用之时，则曲蓄其劲，以待发。既发，则沛然莫之能御也。

注释

① 气以直养而无害：武禹襄主张“养气”而不“尚气”。他的“养气”，源自《孟子》的浩然之气：“其为气也，至大至刚，以直养而无害，则塞于天地之间”。这冲塞于天地间的“浩然之气”，“心勿忘，勿助长”，非刻意求得，否则就是“揠苗助长”。

心为令，气为旗，腰为纛。[1]

心为主帅以发令，气则为表示其令之旗。以腰为纛，则旗中正不偏，无致败之道也。

注释

① 心为令，气为旗，腰为纛：纛，军中大旗。《杨氏太极拳老拳谱三十二目》太极平准腰顶解，以“车轮两，命门一，纛摇又转，心令气旗，使自然，随我便”来解释“心为令，气为旗，腰为纛”。心，一旦发号施令，须先通过腰这根大纛，又摇又转，来向肢体百骸传导指令，方能使人体这辆太极之车，“立如平准，活如车轮”。

先求开展，后求紧凑，乃可臻于缜密矣。

无论练架子及推手，皆须先求开展。开展，则腰腿皆动，无微不到。至功夫纯熟，再求紧凑，由大圈而归于小圈，由小圈而归于无圈。所谓“放之则弥六合，卷之则退藏于密”[1]也。

注 释

① 放之则弥六合，卷之则退藏于密：语出《中庸》。意思是说，太极拳的习练过程，初学时，无论推手摸劲或行拳走架，先务求开展，从节节对拉拔长，节节贯穿入手，越来越严谨缜密，渐由大圈而归于小圈，由小圈而归于大圈。就像儒学中庸之道一样，不偏之谓中，不易之谓庸。中者，天下之正道，庸者，天下之定理。太极拳只要信守此“中”，至大无外，至小无内，意气一旦舒展开来，就可以弥漫天地周遭四方，意气一旦收敛入骨，就可以退藏于隐密的骨髓之内。《杨氏太极拳老拳谱三十二目·太极文武解》云：“文武尤有火候之谓。在放卷得其时中，体育之本也。文武使于对待之际，在蓄发适当其可者，武事之根也”，“放卷得其时中”之“放卷”，即“放之则弥六合，卷之则退藏于密”之缩语。

又曰：先在心，后在身。腹松净，气敛入骨，神舒体静，刻刻在心。

太极以心意为本，身体为末。所谓“意气君来骨肉臣”也。腹松净，不存丝毫后天之拙力，则气自敛入骨。气敛入骨，其刚可知。神要安舒，体要静逸。能安舒静逸，则应变整暇[1]，决不慌乱。

注 释

① 整暇：意气凝聚而又从容不迫。语出《左传·成公十六年》：“日臣之使于楚也，子重问晋国之勇，臣对曰：‘好以众整。’曰：‘又何如?’臣对曰：‘好以暇。’”

切记一动无有不动，一静无有不静。

内外相合，上下相连，[1] 故能如此。

注释

① 内外相合，上下相连：太极拳在“先求开展”的过程中，节节粉碎，节节贯穿，节节对拉拔长后，身形意气，便能上下相随，左右相连，内外相合，之后方能周身一家，完整一气。能如是，方能神舒体静，应变整暇，进退裕如，随感而应。

牵动往来，气贴背，敛入脊骨。内固精神，外示安逸。

此言与人比手之时，牵动往来，须涵胸拔背，使气贴之于背，敛于脊骨，以待机会。机至则发。能气贴于背，敛于脊骨，则能力由脊发。不然，仍手足之劲耳。神固体逸，则不散乱。

迈步如猫行，运劲如抽丝。

此乃形容绵绵不断，待机而发之意。

全身意在精神，不在气。在气则滞，有气者无力，无气者纯刚。[1]

太极纯以神行，不尚气力，此气言后天之气力也。盖养气之气，为先天之气，运气之气，为后天之气。后天之气有尽，先天之气无穷。

注释

① 有气者无力，无气者纯刚：武禹襄《打手要言》中，第一则的“又曰”中有“有气者无力，无气者纯刚”句，而“解曰”中，已将此改定为“尚气者无力，养气者纯刚”。

二水按：武禹襄两节“又曰”，从文字内容看来，像是武禹襄解读王宗岳太极拳论的未定稿，而“解曰”则是最终的定稿。“有气”“无气”在字义上容易误解，作为拳学理论而言，不够严密。尚气与养气，作为对待“气”的两种截然不同的态度，其立论符合孟子的“吾善养吾浩然之气”的理论，又与“解曰”中“气以直养而无害”相呼应。将“尚气”作“有气”，将“养气”作“无气”，抑或抄写时的笔误。行书文本中，“尚”与“有”字形相近，繁体“養”与“無”，亦易误。

气如车轮，腰似车轴。

“气为旗，腰为纛”，此言其静也。“气如车轮，腰似车轴”，此言其动也。腰为一身之枢纽，腰动则先天之气，如车轮之旋转，所谓“气遍身躯不少滞”也。

打手歌 按：打手，即推手也。

掤攦挤按须认真，上下相随人难进。
任他巨力来打我，牵动四两拨千斤。
引进落空合即出，粘连绵随不丢顶。

认真者，掤攦挤按四字，皆须按照师傅规矩，丝毫不错，日日打手。功久自然能上下相随，一动无有不动。虽巨力来打，稍稍牵动，则我之四两，可拨彼之千斤。彼力既巨，必长而直，当其用力之时，不能变动方向，我随彼之方向而引进，则彼落空矣。然必须粘连绵随，不丢不顶，方能引进落空，四两拨千斤也。

又曰：彼不动，己不动。彼微动，己先动。似松非松，将展未展，劲断意不断。

打手之时，彼不动，则我亦不动，以静待之。彼若微动，其动必有一方向，我意在彼之先，随其方向而先动，则彼必跌出矣。似松非松，将展未展，皆言听彼之劲，蓄势待机，机到则放。放时，劲似断而意仍不断也。

以上相传，为王宗岳先生所著，太极拳之精微奥妙，已包蕴无余。就管见所及[①]，略加注解。然仁者见仁，智者见智。功夫愈深者，读之愈得其精妙。深愿继起者，发挥而光大之焉。

注释

① 管见所及：典出《汉书·东方朔传》：“以筦窥天，以蠡测海。”筦，管也。用竹管来看天之大，用瓠瓢来测量大海之深。比喻识见窄浅、局限。多用作“浅薄见解”的自谦之词。

太极合老说[1]

注释

① 太极合老说：微明先生以为，太极拳的拳技原理，契合老子《道德经》的精髓。所以，他将老子《道德经》中与太极拳拳技原理相吻合的经典论说，逐一摘录，并以太极拳的讲论予以微显阐幽，名之为《太极合老说》。二水参合自身的拳学体悟，略作诠释，读者谅不以续貂为唐突也。

老子曰："常无欲，以观其妙；常有欲，以观其徼。"与之黏随，观其化之妙，忽然机发，是谓"观其徼"。[1]

注释

① 老子曰……是谓"观其徼"：此节意为如同老子《道德经》第一章所说的，人类对于自然之道的认识，须在"无欲""有欲"之中，去感悟自然大道奥妙与端倪。推手时，与人接手黏随，须怀一颗清净之心，"拳无拳，意无意，无意之中是真意"，用自己与对手接触的的肌肤，去感觉对手的劲力变化，在有意无意之中，敛神听细雨，去感知对手劲力将发未发之端倪。

老子曰："有无相生""前后相随"。是谓"左重则左虚，右重则右杳，进之则愈长，退之则愈促"。[①]

注释

① 老子曰……退之则愈促"：此节意为就像老子《道德经》第二章所说的，人们知道"美"之所以是美的，那是因为有"丑"的存在，才让人相比而觉得"美"之为美。两人接手后，相互共同构建了一个平衡体，了解并掌控这一平衡体，就要明白自然之道，"有"与"无"是可以互相转化，"前"和"后"也是如影随形的这一原理，当我感觉对方施于我左侧的力重，我左侧就像天平托盘一样，要虚沉下去；对手施于我右侧的力重了，我右侧也要虚沉下去，让对方感觉我的右侧渺茫无踪，不可捉摸。对方向我进攻时，我胸腹掏空，让他感觉如临深渊，愈长而愈触碰不到尽头，对方想后撤退步时，我已整体平送身躯，像是一堵城墙装上了车轮，排山倒海向他逼去，让他感觉愈退而愈跼促，乃至被跌出。

老子曰："天地之间，其犹橐籥乎？虚而不屈，动而愈出。"故太极，无法，动即是法。[①]

注释

① 老子曰……动即是法：此节意为老子《道德经》第五章所说，天地之间，就像是一只一半由竹片木板、一半由牛皮羊皮制成的大风箱，因为天空是空虚的，就像牛羊皮可以因风云而鼓动，而大地是不屈不变形的，所以越鼓动，风就越多，生生不息。人身修炼的法则，其实就是这样，《性命

圭旨》的“火候崇正图”注：“真橐龠 真鼎炉 无中有 有中无 火候足 莫伤丹 天地灵 造化悭”；丘处机云：“真火者，我之神也。而与天地之神，虚空之神，同其神也。真候者，我之息也。而与天地之息，虚空之息，同其息也。”太极拳主张，在吸气时腰背拔伸而不变形，就像橐龠中竹片木板，而胸腹内陷；呼气时复原，就像橐龠中的牛羊皮。一吸一呼，人生的小天地，就与天地的大天地，同构了。这便是天人合一之理。人通过调息，锻炼“与神往来”的魂，与“并精出入”的魄，与天地、与虚空同神同息。橐籥，同“橐龠”。

徐哲东先生《太极拳发微》曰：“伏气之法，枢键在腰。何以言之？以腰肌之弛张，可使膈膜为升降。腰肌张，则膈膜降而为吸；腰肌弛，则膈膜升而为呼。将欲息之出入深细，在膈膜之升降与肺之弛张相应……此和顺形气之法也 。惟胸肌与腰肌弛张能相调适，则胸腹之间，一阖一闭，自尔和顺……及夫浸习浸和，息之出入，浸敛浸微，遂若外忘其形，而一于气，内忘其气，而合于志。志者，意之致一者也。及其和顺之至，志亦如忘，但觉融融泄泄，若将飘摇轻举然，夫是之谓能化。”

老子曰：“绵绵若存，用之不勤”。“绵绵若存”者，内固精神。“用之不勤”者，外示安逸。[①]

注释

① 老子曰……外示安逸：此节意为老子《道德经》第六章所说，自然之道，就像母体的繁殖能力一样，其造化天地，生育万物的能力生生不息。表面上看起来，若有若无，而又绵绵不绝，其功效则是无穷无尽，无处不在的。就像太极拳一样，人体“命门三焦”这一能量枢纽，只有通过“含胸拔背”“收腹敛臀”，才能将命门处，原本凹陷的位置凸显出来。通过呼吸的

配合，人在吸气时，“拔背”与“敛臀”，旨在将大椎上下对拉，节节拔长。与此同时，通过“含胸”与“收腹”，随着吸气肌（膈肌与肋间外肌）收缩，胸膈隆起的中心下移，从而增大胸腔的上下径，使得胸腔和肺容积增大。而呼气时，只是由膈肌和肋间外肌舒张的结果，肺依靠本身的回缩力量，而得以回位，并牵引胸廓缩小，恢复吸气开始的位置。一吸一呼，一卷一放，一蓄一发，一合一开，一入一出，随着命门所处位置的上下向、左右向的一张一弛，完成了对于“心火”“肾水”的一降一伏。这才是《手战之道》所说的“内固精神”。作为内家拳，胸腹内动，就像汽车的发动机。而节节贯穿、完整一气，则构建了“立如平准，活如车轮”太极之车。拳势在进退顾盼之中，前后的肩胯构成两“轴”，就像圆规两脚一样，可以相互变换虚实。虚轴在实轴“研”动下，构成了气如车轮的“圜”。研圜相生，“车轮两，命门一，纛摇又转，心令气旗，使自然，随我便”，这才是手战之道所说的“外示安逸”。

老子曰：“后其身而身先，外其身而身存。”“后其身而身先”者，“彼不动己不动，彼微动己先动”也。“外其身而身存”者，由己则滞，从人则活也。①

注释

① 老子曰……从人则活也：此节意为老子《道德经》第七章所说，天地之所以能天长地久，那是因为天地不是为了自己的生存而在运行的。圣人效法天地大道，常怀谦让无争之心，反而能在众人之中领先，将自己置身度外，反而能保全自身生存。太极拳就是效法圣人的行为法则，“后其身而身先”意思是，与人接手，不能擅做主张，彼不动，己不动，彼微动，己则占尽先机，后期发而先至了。“外其身而身存”的意思是，就像李亦畬《五

字诀》“心静”所说：“一举手，前后左右全无定向，故要心静。起初举动，未能由己，要息心体认，随人所动，随屈就伸，不丢不顶，勿自伸缩。彼有力，我亦有力，我力在先。彼无力，我亦无力，我意仍在先。要刻刻留心，挨何处，心要用在何处，须向不丢不顶中讨消息。从此做去，一年半载，便能施于身。此全是用意，不是用劲，久之，则人为我制，我不为人制矣。”

老子曰：“上善若水，居善地，心善渊，事善能，动善时。夫惟不争，故无尤。”“居善地”者，得机得势；“心善渊”者，敛气敛神；“事善能”者，随转随接；“动善时”者，不后不先。太极之无敌，惟不争耳。①

注释

① 老子曰……惟不争耳：此节意为老子《道德经》第八章认为，天地之间，水，最符合自然之道的特征。所以，圣人的品性，也应该像水一样。太极拳的要领也一样，所谓“居善地”，说的是与人接手，善于在空间与时间上占得先机，得机得势；所谓“心善渊”，诚如李亦畲所说，得心静，敛气敛神，息心体认，“挨何处，心要用在何处，须向不丢不顶中讨消息”；所谓“事善能”，随转随接，在动态之中，掌握平衡；所谓“动善时”，不后不先，在对手“旧力略尽，新力未生”时，掌控两人平衡体的拍位。太极之所以能无敌，在于不作无谓之争，顺人之势，借人之力而已。

老子曰："抱一，能无离乎？专气致柔，能婴儿乎？"是谓极柔而至刚，万法而归一。①

注释

① 老子曰……万法而归一：此节意为老子《道德经》第十章所说，圣人效法自然之道，能将精神魂魄形体一统于大道的运行规律中，结聚精气，形体应之而柔顺，像婴儿一样，少私而寡欲。太极拳也一样，万法归宗，极柔而至刚，百炼钢而成绕指柔。

老子曰："曲则全，枉则直"。是谓曲中求直，蓄而后发。①

注释

① 老子曰……蓄而后发：老子《道德经》第二十二章所说，自然之道，往往出乎常人的认知，球体的周全，其实是由曲线、曲面构成的，球体或曲面上，最直接、最快捷的路径，往往不是两点之间的直线，而是曲面上，貌似走了冤枉路的"测地线"。太极拳劲力的方向，虽然是直接瞄准对手中轴的，方向一定是直线，但最终劲路的轨迹，则往往是曲的。"劲以曲蓄而有余"，只有"蓄劲如张弓"，才能"发劲如放箭"。

老子曰："将欲歙之，必固张之；将欲弱之，必固强之；将欲夺之，必固与之。是谓微明。"太极黏连绵随，不与之抗。彼张我歙，彼强我弱，彼夺我与，然后能张，能强，能夺。①

注释

① 老子曰……能夺：老子《道德经》三十六章，从世事万物“歙”与“张”、“弱”与“强”、“废”与“兴”、“取”与“与”等，两种极端态势的相互转化，来揭示阴阳生息的规律，这便是“起事于无形，而要大功于天下”道微而效明的“微明”，进而阐述了老子一贯以来柔弱胜刚强的理念。微明先生于此章旨意深相契合，于是以“微明”自号，而行于世，他以为太极拳与人接手，黏连绵随，是一个两人相互所构成的平衡体，就像“洛书”里的正隅之合数，觉知对手三分劲力，我以八对之，则顶，以六对之，则丢，我以七待之，则可。觉知对手七分劲力，我以四待之，则抗，以二待之，则匾，以三待之，不丢不顶。所以他张开了，我就歙合，他劲力力强，我就以弱化之，他想争夺先机优势，我则尽可能多地给他，直到他不敢要，要不动。然后，我就能无为而为，能张，能强，能夺，随感斯应。

老子曰：“反者道之动”。故有上必有下，有前必有后，有左必有右。①

注释

① 老子曰……有左必有右：老子《道德经》第四十章认为，自然之道运动变化法则，其实是循环往复、周而复始的，就像是太极拳，从乡村野郊，呈一拳一脚之能的武术形式，上升到了一门营魄抱一、返本归元的性命学问。拳势之中，行拳走架，循环往复，势势相承，“有上必有下，有前必有后，有左必有右”，也不再是简单的肢体运动，而是体察身体与周遭空间之间的一气之流行。两人推手，各自流行之气，相互摩荡，其实就是在观照人体（我）与周遭空间（物）所构建的一个阴阳球，以期物我之间的和谐平衡。

老子曰："天下之至柔，驰骋天下之至坚，无有入于无间"；又曰："不争而善胜，不召而自来"，是谓"引进落空"，"四两拨千斤"也。[①]

注释

①老子曰……"四两拨千斤"也：老子《道德经》第四十章认为，天下最为柔和的，就像是水，往往能够驾驭天下最为坚刚的城墙。那是因为，水能无孔不入，浸润于无形，润物于无声。《道德经》第七十三章又说，自然之道在于，不争而胜，不战而屈敌，不召而自来。这些道理，就是太极拳艺中"引进落空""四两拨千斤"的道理。

校正表

第一二页第六第七行："将足跟转动，使足尖向南"。

第一五页第六行："左足跟转动，使足尖向东北"。

第一六页第二行："又变右搂膝拗步、手挥琵琶式"，第九行："右腿同时提起，前进一步"。

第二八页第五行："右手同时随腰平转一小圆规，即由腰间向下打出"。

第三〇页第五行："两手仍握拳随腰右转"，第八第九行："右足同时提起，迈步，随腰转向东南"。

第三五页第四行："此式全身坐在左腿"下，加"面向西南隅"一句，第五行："足跟转向西北"下，加"使足尖渐转向正东"一句，第十行："全身坐在右腿"下，加"面向东南隅"一句，第十二行："捧出按出"下，加"面向东北隅"一句，第十五行："按出"下，加"面向西北隅"一句。

第四〇页第二行："落下坐实，足尖向西北，右手下松，随腰、随右腿转一圆规，转至腰隙握拳，左手搂膝，左足前进，右拳向前、向下打出"，第八行："两手随腰往前，握拳相交"。

新书预告

武学名家典籍丛书

孙禄堂武学集注

（**形意拳学　八卦拳学　太极拳学　八卦剑学　拳意述真**）

孙禄堂　著　孙婉容　校注　定价：288 元

○ 接近传奇，从读懂原著开始
○ 孙禄堂的武功究竟有多高——“虎头少保”“天下第一手”
○ 孙禄堂之嫡孙女——孙婉容权威诠释
○ 解密“炼精化气，炼气化神，炼神还虚”的内家拳法
○ 孙禄堂亲配全套珍贵拳照，逐式详解孙氏武学

杨澄甫武学辑注

（**太极拳使用法　太极拳体用全书**）

杨澄甫 著　邵奇青 校注

○ 大器晚成的太极宗师
○“随手发人于丈外”的技击大师
○ 内含：老谱三十二目、单人用功法、散手对敌图等杨家秘传拳谱
○ 披露杨家的实战轶闻，揭秘杨澄甫为何要销毁《太极拳使用法》
○ 杨澄甫亲配全套珍贵拳照，详解正宗杨式太极拳

陈微明武学辑注

（**太极拳术　太极剑　太极答问**）

陈微明 著　二水居士 校注

○ 书香累世的陈微明，何以由“名儒”变身“武痴”？
○ 创立致柔拳社，继杨澄甫之后的杨式太极中兴人物
○ 得杨澄甫亲传，以师徒问答实录，重现太极拳授受过程
○ 阐明“抟气致柔、动静交修”之拳理
○ 载其师杨澄甫早期拳照，为研究杨家太极拳的重要史料

（第一辑）

李存义武学辑注

（五行连环拳谱合璧　三十六剑谱　岳氏意拳五行精义）

李存义 著　阎伯群 李洪钟 校注

形意武术教科书

张占魁 著　吴占良 校注

薛颠武学辑注

（形意拳术讲义　象形拳法真诠　灵空禅师点穴秘诀　五行拳）

薛颠 著　王银辉 校注

（第二辑）

陈氏太极拳图说（详注版）

陈鑫 著　陈东山 杜修鸿 陈晓龙 校注

太极拳释义

董英杰 著　杨志英 校注

太极拳势图解

许禹生 著　唐才良 校注

（第三辑）

形意拳术

李剑秋 著　王银辉 校注

形意拳术抉微

刘殿琛 著　王银辉 校注

阎道生武学辑注

阎道生 著　阎伯群 校注

（第四辑）

武学古籍新注丛书

○结合易学、黄帝内经、诸子经典、宋明理学详细注解
○阐释太极拳理论由初创到繁荣、再至巅峰的发展过程
○对太极拳源流、内涵、功法重做界定与分野
○揭示了隐匿于武学深处的理论依据

王宗岳太极拳论

李亦畬 著　　二水居士 校注　　　　定价：50 元

“老三本”太极拳谱是太极拳历史上的里程碑，它开启了近代太极拳开枝散叶的发展过程，堪称太极拳“元”理论。本版以“老三本”中流传最广、影响最大的李亦畬手抄、郝和珍藏本为基础，参合央视《寻宝》节目中的民间国宝“启轩藏本”及坊间流传的相关内容，为老三本做一次精彩的亮相。

太极功源流支派论

宋书铭 著　　二水居士 校注　　　　定价：68 元

宋书铭所传拳谱，据传为其祖先宋远桥所手记。民国初年始宣于世，各家多有抄存留世。本版选用范愚园抄本。此谱直接与《王宗岳太极拳论》《太极法说》相互关联，可以作为深入探寻太极拳理论的比较研究文本。

太极法说

二水居士 校注　　　　定价：65 元

此谱俗称三十二目，为杨氏家传拳谱，具备独特的拳学概念，阐述了太极拳的至尊拳理。本版选用吴鉴泉题签“太极法说”为底本，参合杨振基“杨澄甫家传的古典手抄太极拳老拳谱影印”、杨澄甫《太极拳使用法》、董英杰《太极拳释义》、田兆麟《太极拳手册》等相关资料，加以点校注释。

（第一辑）

手臂录

吴殳 著　刘长国 校注

手战之道

赵晔 沈一贯 唐顺之 何良辰 戚继光 黄百家 黄宗羲 著
王小兵 校注

（第二辑）

百家功夫丛书

张策传杨班侯太极拳 108 式（配光盘）

张喆 著　韩宝顺 整理　定价：48 元

○民国宗师“臂圣”张策传功，其堂弟张喆著书，集太极、通臂之大成

○第三代嫡传人韩宝顺系统整理并配以影像

○套路招式、实战用法、推手演练，阐明呼吸吐纳之法，助习练者掌握太极拳的心法要领

○持之以恒，更可促进体内各器官的生理作用，对养生健体大有裨益

河南心意六合拳（配光盘）

李洳波 著

○国家级非物质文化遗产，展现回教武术文化

○继承河南马派心意拳传系，保持古朴原始的拳术风貌，以十大形、七小形、多种功、技、法、式为主要传承载体

○收录“岳武穆王九要论”等多篇口传秘诀，以及马派宗师马学礼、吕瑞芳传奇轶事

（第一辑）

张鸿庆形意五行拳释秘　邵义会 著

张鸿庆形意十二形释秘　邵义会 著

形意八卦拳　贾保寿 著

杨式太极拳内功心法　　胡贯涛　著
戴氏心意拳功理秘技　　王　毅　著

（第二辑）

华岳心意六合八法拳　　张长信　著
程有龙传震卦八卦掌　　奎恩凤　著
王映海传戴氏心意六合拳　　王映海　王喜成　著

（第三辑）

民间武学藏本丛书

守洞尘技
山西通臂拳谱
心一拳术
福建少林寺武术

（第一辑）

老谱辨析点评丛书

再读孙禄堂《拳意述真》
再读王宗岳《太极拳经》
再读戚继光《三十二式》

（第一辑）

图书在版编目（CIP）数据

陈微明武学辑注——太极拳术 / 陈微明著；二水居士校注.——北京：北京科学技术出版社，2016.6

（武学名家典籍丛书）

ISBN 978-7-5304-8217-9

Ⅰ.①太… Ⅱ.①陈… ②二… Ⅲ.①太极拳－研究 Ⅳ.①G852.11

中国版本图书馆 CIP 数据核字（2016）第 040608 号

陈微明武学辑注——太极拳术

作　　者： 陈微明
校 注 者： 二水居士
策　　划： 王跃平　常学刚
责任编辑： 王跃平
责任校对： 贾　荣
责任印制： 张　良
封面设计： 张永文
版式设计： 王跃平
出 版 人： 曾庆宇
出版发行： 北京科学技术出版社
社　　址： 北京西直门南大街 16 号
邮政编码： 100035
电话传真： 0086-10-66135495（总编室）
0086-10-66113227（发行部）　0086-10-66161952（发行部传真）
电子信箱： bjkj@bjkjpress.com
网　　址： www.bkydw.cn
经　　销： 新华书店
印　　刷： 保定市中画美凯印刷有限公司
开　　本： 787mm×1092mm　1/16
字　　数： 184 千
印　　张： 22
版　　次： 2016 年 6 月第 1 版
印　　次： 2016 年 6 月第 1 次印刷
ISBN 978-7-5304-8217-9 / G·2395

定　　价： 88.00 元